MW00441019

Borges y la matemática

Seix Barral Los Tres Mundos

Guillermo Martínez
Borges y la matemática

Martínez, Guillermo
     Borges y la matemática.- 2ª ed. – Buenos Aires : Seix Barral,
2007.
     184 p. ; 23x14 cm.

     ISBN 978-950-731-514-5

     1. Ensayo Argentino I. Título
     CDD A864

Diseño de colección:
Josep Bagà Associats

Diseño de cubierta:
Departamento de Arte de Editorial Planeta

©   2003, Guillermo Martínez

Derechos exclusivos de edición en castellano
reservados para todo el mundo
© 2006, Emecé Editores S.A. / Seix Barral
Independencia 1668, C1100ABQ Buenos Aires
www.editorialplaneta.com.ar

2ª edición: abril de 2007

ISBN 978-950-731-514- 5

Impreso en Talleres Gráficos Leograf S.R.L.,
Rucci 408, Valentín Alsina,
en el mes de abril de 2007.

Hecho el depósito que indica la ley 11.723
Impreso en la Argentina

Ninguna parte de esta publicación, incluido
el diseño de la cubierta, puede ser
reproducida, almacenada o transmitida
en manera alguna ni por ningún medio,
ya sea eléctrico, químico, mecánico,
óptico, de grabación o de fotocopia,
sin permiso previo del editor.

AGRADECIMIENTOS

A mis pacientes profesores de matemática, Roberto Cignoli, Marta Sagastume y Hernán Cendra; a Alicia Borinsky, quien me invitó a hablar por primera vez sobre Borges y la matemática en su cátedra de literatura de la Universidad de Boston; a Soledad Costantini y Ana Quiroga del Departamento de Literatura del Malba, por su cordial incitación a convertir esa charla en los cursillos que dieron origen a este libro.

Un agradecimiento muy especial a la Fundación MacDowell, a mis benefactores anónimos y al matrimonio Putnam, por las dos residencias en ese paraíso de artistas que es la Colonia MacDowell, donde fueron escritos algunos de estos artículos.

Borges y la matemática
Clases del Malba[*]

Primera clase (19 de febrero de 2003)

En la introducción al libro *Matemáticas e imaginación*, de Kasner y Newman, Borges dice que la matemática, al igual que la música, puede prescindir del universo. Quiero agradecerles que esta tarde ustedes hayan prescindido del universo —y de la Argentina—para estar aquí y escuchar esta charla.

El ángulo, el sesgo y la interpretación.
Thomas Mann y el dodecafonismo.
El juego de la interpretación como un juego
de balance

Bien, Borges y la matemática. Siempre que uno elige un ángulo, un tema, introduce de algún modo una distorsión sobre el fenómeno que se propone estudiar. Algo bien sabido por los físicos, ¿no es cierto? También ocurre cuando uno trata de abordar a un escritor desde un ángulo en particular: muy pronto uno

---

[*] Durante el proceso de edición de estas clases se respetó el tono coloquial.

se encuentra en las arenas movedizas de la interpretación. En este sentido, conviene tener en cuenta que el juego de la interpretación es un juego de balance en el que uno puede errar por exceso o por defecto. Digamos, si nos aproximamos a los textos de Borges con un enfoque puramente matemático, muy especializado, podemos quedar por encima del texto. Aquí "encima" es en realidad afuera: podríamos encontrar o forzar al texto a decir cosas que el texto no dice, ni tiene ninguna intención de decir. Un error de erudición. Por otro lado, si desconocemos en absoluto los elementos de matemática que están presentes reiteradamente en la obra de Borges, podemos quedar por debajo del texto. Entonces, voy a intentar un ejercicio de equilibrio. Sé que aquí en la sala hay gente que sabe mucha matemática, pero yo voy a hablar para los que sólo saben contar hasta diez. Es mi desafío personal. Todo lo que diga debería poder entenderse con sólo saber contar hasta diez.

Hay una segunda cuestión todavía más delicada, a la que se refirió Thomas Mann cuando fue obligado a insertar una nota al final de su *Doktor Faustus* para reconocer la autoría intelectual de Schönberg en la teoría musical del dodecafonismo. Thomas Mann lo hizo a disgusto, porque consideraba que esa teoría musical se había transmutado en algo distinto al ser moldeada literariamente por él "en un contexto ideal para asociarla a un personaje ficticio" (su compositor, Adrián Leverkuhn). De la misma manera, los elementos de matemática que aparecen en la obra de Borges también están moldeados y transmutados en "algo distinto": en literatura, y trataremos de reconocerlos sin separarlos de ese contexto de intenciones literarias.

Por ejemplo, cuando Borges da comienzo a su ensayo "Avatares de la tortuga" y dice: "Hay un concepto que es el corruptor y el desatinador de los otros. No hablo del Mal cuyo limitado imperio es la ética; hablo del infinito", la vinculación del infinito con el Mal, la supremacía en malignidad, burlona pero certera, que establece, quita de inmediato al infinito del sereno mundo de la matemática y pone bajo una luz levemente amenazadora toda la discusión pulcra en fórmulas, casi técnica, que sigue. Cuando dice a continuación que la numerosa hidra es una prefiguración o un emblema de las progresiones geométricas, se repite el juego de proyectar monstruosidad y "conveniente horror" sobre un concepto matemático preciso.

Cuánto sabía Borges de matemática.
Precauciones sobre su biblioteca.
La verdad en matemática y en literatura

¿Cuánto sabía Borges de matemática? Él dice en ese mismo ensayo: "cinco, siete años de aprendizaje metafísico, teológico, matemático me capacitarían (tal vez) para planear decorosamente una historia del infinito". La frase es lo suficientemente ambigua como para que sea difícil decidir si realmente dedicó esa cantidad de años a estudiar, o es sólo un plan a futuro, pero está claro que Borges sabe por lo menos los temas que están contenidos en el libro que él prologa, *Matemáticas e imaginación*, y que son bastantes. Es una buena muestra de lo que se puede aprender en un primer curso de álgebra y análisis en la universidad. Se tratan allí las paradojas lógicas, la cuestión de las diversas clases de infinito, algunos problemas básicos de topología, la teoría de las probabilidades. En el prólogo a este libro, Borges recuerda al pasar que, según Bertrand Russell, la vasta matemática quizá no fuera más que una vasta tautología, y deja ver, con esta observación, que también estaba al tanto, por lo menos en esa época, de lo que era una discusión crucial en los fundamentos de la matemática. Una discusión que dividía aguas y daba lugar a agudos debates, centrada en la cuestión de la verdad: lo verdadero versus lo demostrable.

Digamos que en su trabajo habitual de escudriñar los universos de formas y de números los matemáticos encuentran conexiones recurrentes, patrones, ciertas relaciones que se verifican siempre, y están acostumbrados a creer que estas relaciones, si son verdaderas, lo son por alguna razón, están concertadas de acuerdo a un orden exterior, platónico, que debe descifrarse. Cuando encuentran esa razón profunda —y en general oculta— la exhiben en lo que se llama una demostración, una prueba.

Hay de esta manera dos momentos en la matemática, igual que en el arte: un momento que podemos llamar de iluminación, de inspiración, un momento solitario e incluso "elitista" en que el matemático entrevé, en un elusivo mundo platónico, un resultado que considera que es verdadero; y un segundo momento, digamos, democrático, en el que tiene que convencer de esa verdad a su comunidad de pares. Exactamente del mismo modo en que el artista tiene fragmentos de una visión y luego, en un momento posterior, debe ejecutarla en la escritura de la obra, en la pintura, en lo que fuere. En ese sentido, los procesos creativos se parecen mucho. ¿Cuál es la diferencia? Que hay protocolos formales de acuerdo con los cuales la verdad que el matemático comunica a sus pares la puede demostrar paso por paso a partir de principios y "reglas de juego" en las que todos los matemáticos coinciden. En cambio, una demostración de un hecho estético no es tan general. Un hecho estético siempre está sujeto a criterios de autoridad, a modas, a suplementos culturales, a la decisión personal y última —muchas veces perfectamente caprichosa— del gusto.

Ahora bien, los matemáticos pensaron durante siglos que en sus dominios estos dos conceptos, lo verdadero y lo demostrable, eran en el fondo equivalentes. Que si algo era verdadero siempre se podía exhibir la razón de esa verdad a través de los pasos lógicos de una demostración, de una prueba. Sin embargo, que lo verdadero no es igual que lo demostrable lo saben desde siempre, por ejemplo, los jueces: supongamos que tenemos un crimen en un cuarto cerrado (o, más modernamente, en un *country* cerrado) con sólo dos sospechosos posibles. Cualquiera de los dos sospechosos sabe toda la verdad sobre el crimen: *yo fui* o *yo no fui*. Hay una verdad y ellos la conocen, pero la justicia tiene que acercarse a esta verdad por otros procedimientos indirectos: huellas digitales, colillas, pitutos (*risas*). Muchas veces la justicia no llega a probar ni la culpabilidad de uno ni la inocencia del otro. Algo similar ocurre en la arqueología: sólo se tienen verdades provisorias, la verdad última queda fuera del alcance, es la suma incesante de huesos de lo demostrable.

Así, en otros terrenos, la verdad no necesariamente coincide con lo demostrable. Bertrand Russell fue quizá quien más se afanó en probar que dentro de la matemática sí se podían hacer coincidir los dos términos, que la matemática no era más que "una vasta tautología". De algún modo ése era también el programa de Hilbert, un gran intento de los matemáticos para dar garantías de que todo lo que se probara verdadero, por cualesquiera métodos, se iba a poder demostrar *a posteriori* de acuerdo con un protocolo formal que pudiera prescindir de la inteligencia, un algoritmo que pudiera corroborar la verdad de una manera mecánica y que pudiera modelarse en una computadora. Eso hubiera sido en el fondo reducir la matemática a lo que puede probar una computadora.

Finalmente se demostró, y ése fue el resultado dramático de Kurt Gödel en los años 30 —su famoso teorema de incompletitud— que las cosas no son así, que la matemática se parece más bien a la criminología en este aspecto: hay afirmaciones que son verdaderas y quedan, sin embargo, fuera del alcance de las teorías formales. O sea, las teorías formales no pueden ni demostrar la afirmación ni demostrar su negación, ni su culpabilidad ni su inocencia. Lo que quiero señalar es que Borges vislumbraba el origen de esta discusión (aunque no parece que se hubiera enterado de su desenlace).

Elementos de matemática en la obra de Borges

Hay elementos de matemática muy variados a lo largo de la obra de Borges. El paso obvio natural, cuando uno se acerca a este tema, es rastrear todas esas huellas matemáticas en sus textos. Eso ha sido hecho, y muy bien, en varios de los ensayos del libro *Borges y la ciencia* (Eudeba). Pueden encontrar allí ensayos sobre Borges y la matemática, sobre Borges y la investigación científica, sobre el tema de la memoria, sobre Borges y la física. He dicho alguna vez en broma que mi preferido es "Borges y la biología". Luego de algunos rodeos, y algo desolado, casi como disculpándose, el autor se decide a escribir que después de haber leído la obra completa de Borges tiene que decir que no hay ninguna vinculación entre Borges y la biología. ¡Ninguna! *(risas)*. El hombre había descubierto con terror algo en este mundo —la biología— que Borges no había tocado.

Pero sí hay, profusamente, elementos de matemática. Yo voy a abusar un poco de mi condición de escritor para tratar de hacer algo ligeramente diferente: voy a tratar de vincular los elementos de matemática con elementos de estilo en Borges. Voy a intentar una vinculación no temática sino estilística. Pero menciono de todos modos algunos de los textos donde las ideas matemáticas asoman con más claridad: los cuentos "El disco", "El libro de arena", "La biblioteca de Babel", "La lotería de Babilonia", "Del rigor en la ciencia", "Examen de la obra de Herbert Quain, *Argumenturn ornithologicum*"; los ensayos "La perpetua carrera de Aquiles y la tortuga" junto con "Avatares de la tortuga", "El idioma analítico de John Wilkins", "La doctrina de los ciclos", "Pascal" junto con "La esfera de Pascal", etc. Hay textos que son incluso pequeñas lecciones de matemática. Aun así, aun dentro de esta variedad, creo yo que hay tres temas que son recurrentes. Y esos tres temas aparecen reunidos en el cuento "El Aleph", les propongo que los estudiemos desde allí.

El infinito de Cantor

Los voy a mencionar en orden inverso al que aparecen; el primer elemento es el infinito o los infinitos. Dice Borges hacia el final del relato:

"Dos observaciones quiero agregar: una sobre la naturaleza del Aleph, otra sobre su nombre. Éste, como es sabido, es el de la primera letra del alfabeto de la lengua sagrada. Su aplicación al disco de la historia no parece casual. Para la Cábala esa letra significa el En Soph, la ilimitada y pura divinidad. También se dijo que tiene la forma de un hombre que señala el cielo y la tierra, para indicar que el mundo inferior es el espejo y el mapa del superior. Para la *Mengenlehre* es el símbolo de los números transfinitos en los que el todo no es mayor que alguna de las partes".

La *Mengenlehre* es la denominación en alemán de la teoría de las cantidades. El símbolo aleph, que los matemáticos simplificamos al dibujarlo, se parece a esto:

א

Un brazo que señala al cielo y el otro que señala a la tierra. El símbolo de los números transfinitos, en los que, como dice Borges, *el todo no es mayor que alguna de las partes*. Éste es uno de los conceptos de matemática que fascinaba realmente a Borges. Es el quiebre de un postulado aristotélico según el cual el todo debe ser mayor que cualquiera de las partes, y me gustaría hacer una pequeña explicación de cómo surge esta idea del infinito en la matemática.

Hasta 1870, la época en que Cantor empieza sus trabajos sobre la teoría de conjuntos, los matemáticos usaban otro símbolo para el infinito, el 8 acostado: ∞, y pensaban que en realidad había un único infinito, no se planteaban la posibilidad de que hubiera diferentes variedades de infinito. ¿Cómo llega Cantor a su idea de infinito, que es la que suscita esta primera paradoja?

Para entender esto, tenemos que recordar qué significa contar. Uno puede pensar el proceso de contar de dos maneras: supongamos que en un primer conjunto tenemos diez personas —que es nuestro número límite— y en un segundo conjunto tenemos diez sillas.

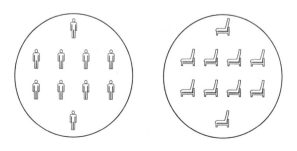

Uno podría decir, muy bien, sé que hay tantas personas como sillas, porque aquí cuento diez personas y aquí cuento diez sillas, o sea, le asigno al primer conjunto una cantidad entre las que conozco: diez, y a este segundo conjunto una cantidad que conozco: diez, y como 10 = 10 concluyo que los dos conjuntos tienen la misma cantidad de elementos. Sin embargo, supongamos que yo estoy jugando con un chico de tres años a las cartas. El chico, como nosotros esta tarde, tampoco sabe contar más allá de diez, pero sabe que si me da a mí la primera carta, se queda con la segunda, me da la tercera, se queda con la cuarta, etc., cuando termina de repartir el mazo, aunque no puede decir qué *cantidad* de cartas tiene en las manos (porque no sabe contar más que hasta diez), sí puede decir algo todavía, sí tiene todavía un elemento de certidumbre, y es que *tanto él como yo tenemos la misma cantidad de cartas*. Esto sí lo sabe, aunque no sepa *cuántas* son. En el ejemplo de las sillas, podríamos también haber concluido que hay la misma cantidad de personas que de sillas haciendo sentar a cada persona en una silla y comprobando que se establece una correspondencia perfecta en la que no queda silla sin persona ni persona sin silla. Del mismo modo, cuando uno mira un desfile militar, no puede decir a golpe de vista cuántos jinetes hay, o cuántos caballos hay, pero sí sabe algo todavía, sabe que hay tantos militares como caballos (*risas*).

Es trivial, sí, lo reconozco, pero a veces de las trivialidades surgen las grandes ideas. Aquí está el pase de prestidigitador de los matemáticos. Fíjense qué es lo que hace Cantor, en el fondo es algo muy simple, pero extraordinario. Lo que él encuentra es un concepto que en el contexto finito resulta equivalente a "tener la misma cantidad de elementos". Él dice: "en el contexto finito, los conjuntos A y B tienen la misma cantidad de elementos si y sólo si puedo establecer una correspondencia perfecta uno a uno entre ellos". Esta afirmación es muy sencilla de probar. ¿Pero qué ocurre cuando saltamos al infinito? Uno de los dos conceptos equivalentes, "cantidad de elementos", deja de tener sentido. ¿Qué significa cantidad de elementos de un conjunto infinito cuando uno no puede terminar de contar? Esa parte ya no la puedo usar, pero sí puedo usar todavía la segunda parte. La segunda parte sobrevive, todavía podemos establecer, para, conjuntos infinitos, correspondencias perfectas uno a uno como hicimos entre las personas y las sillas.

Pero entonces empiezan a ocurrir cosas extrañas. Porque hay una manera obvia de establecer una correspondencia perfecta uno a uno entre todos los números naturales, los números que usamos para contar, y los números pares. Al 1 le asignamos el 2, al 2 le asignamos el 4, al 3 el 6, etc. Y aquí, forzados por la definición de Cantor, tenemos que decir que hay "tantos" números naturales como números pares. Sin embargo, los pares son una "mitad" de los naturales, en el sentido de que los naturales los obtenemos al unir los pares con los impares. Entonces, hay efectivamente una parte, los pares, que es tan grande como el todo. *Hay una parte que equivale al todo.* Éste es el tipo de paradoja que maravillaba a Borges: en el infinito matemático, el todo no es necesariamente mayor que cualquiera de las partes. Hay partes propias que son tan grandes como el todo. Hay partes que son equivalentes al todo.

Objetos recursivos

Uno podría abstraer esta propiedad curiosa del infinito y pensar en otros objetos, en otras situaciones, en las que una parte del objeto guarda la información del todo. Los llamaremos objetos *recursivos*. Así, el Aleph de Borges, la pequeña esfera que guarda todas la imágenes del universo, sería un objeto ficcional recursivo. Cuando Borges dice que la aplicación del nombre Aleph a esta esfera no es casual y llama la atención de inmediato sobre la vinculación con esta propiedad de los infinitos, está insertando su idea dentro de un ambiente propicio, de la manera que él mismo enseña en su ensayo "El arte narrativo y la magia" cuando analiza el problema de la difícil verosimilitud del centauro. La rodea de un marco que la vuelve plausible: así como en el infinito una parte equivale al todo, puede concebirse que haya una parte del universo que guarde la información del todo.

Hay otros objetos recursivos con los que Borges juega en su obra. Por ejemplo, los mapas crecientes en "Del rigor en la ciencia", donde el mapa de una sola provincia ocupaba toda una ciudad, y "en cuyos pedazos abandonados en los desiertos habitaban animales y mendigos". También, desde el punto de vista de la biología, el ser humano sería un objeto recursivo. Basta una célula del ser humano para fabricar un clon. Los mosaicos son claramente objetos recursivos, la figura de las primeras baldosas se propaga al todo.

Pensemos ahora en objetos que tengan la propiedad *opuesta*. ¿Cuáles serían los objetos anti-recursivos, por llamarlos de alguna manera? Objetos en los cuales ninguna parte reemplaza al todo. Objetos en los que cada parte es esencial. Podríamos decir: los conjuntos finitos. Yo diría, un rompecabezas razonable. En un rompecabezas razonable uno no debería poder facilitarse las cosas repitiendo diseños. También, el ser humano, desde el punto de vista existencial. Hay una frase muy intimidante que no es de Sartre sino de Hegel y que dice: "el hombre no es más que la serie de sus actos". No importa cuán impecable haya sido la conducta de un hombre durante cada día de todos los años de su vida, siempre está a tiempo de cometer un último acto que contradiga, que arruine, que destruya todo lo que ha sido hasta ese momento. O al revés, para tomar el giro que le dio Thomas Mann en *El elegido,* basado en *Vida de San Gregorio*: no importa cuán incestuoso o pecador haya sido un hombre durante toda su vida, siempre puede expiar sus culpas y convertirse en Papa.

El infinito y el Libro de Arena

Lo que dije hasta aquí sobre el infinito bastaría para aclarar este pequeño fragmento. Me voy a extender un poco más para explicar algo que está relacionado con "La biblioteca de Babel" y "El libro de arena". Recién acabamos de ver que hay "tantos" números naturales como pares. ¿Qué ocurrirá cuando consideramos los números fraccionarios? Los números fraccionarios son muy importantes en el pensamiento de Borges. ¿Por qué? Recordemos que los números fraccionarios, que también se llaman quebrados, o números racionales, son los que se obtienen al dividir números enteros;

los podemos pensar como pares de enteros: un número entero en el numerador y un número entero (distinto de cero) en el denominador.

$$^3/_5, \ ^5/_4, \ ^7/_6, \ ^7/_{16} \ldots$$

¿Cuál es la propiedad que tienen estos números, la propiedad que usa Borges en sus relatos? *Entre dos números fraccionarios cualesquiera siempre hay uno en el medio.* Entre 0 y 1 está $^1/_2$, entre 0 y $^1/_2$ está $^1/_4$, entre 0 y $^1/_4$ está $^1/_8$, etc. Digamos, siempre se puede dividir por 2.

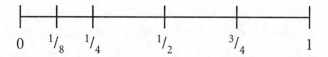

De modo que cuando yo quiero saltar del 0 al primer número fraccionario, nunca puedo encontrar ese primer número en el orden usual, porque siempre hay uno en el medio. Ésta es exactamente la propiedad que toma prestada Borges en "El libro de arena". Recordarán que hay un momento en este cuento en que a Borges (personaje) lo desafían a abrir por la primera hoja el Libro de Arena:

"Me dijo que su libro se llamaba el Libro de Arena porque ni el libro ni la arena tienen principio ni fin. Me pidió que buscara la primera hoja. Apoyé la mano izquierda sobre la portada y abrí con el dedo pulgar casi pegado al índice. Todo fue inútil: siempre se interponían varias hojas entre la portada y la mano. Era como si brotaran del libro".

La tapa del Libro de Arena sería el cero, la contratapa sería el uno, las páginas corresponderían entonces a los números fraccionarios entre cero y uno. En los números fraccionarios uno no puede encontrar el primer número después de 0 ni el último antes de 1. Siempre hay números que se interponen. Uno estaría tentado a conjeturar que el infinito de los números fraccionarios es más apretado, más denso, más nutrido.

La segunda sorpresa que nos deparan los infinitos es que esto no es así, es decir, hay "tantos" números racionales como números naturales. ¿Cómo podemos ver esto?

Como las fracciones son pares de enteros, numerador/denominador, todas las fracciones (positivas) están representadas en este cuadro:

$$\frac{1}{1} \quad \frac{1}{2} \quad \frac{1}{3} \quad \frac{1}{4} \quad \frac{1}{5}\cdots$$

$$\frac{2}{1} \quad \frac{2}{2} \quad \frac{2}{3} \quad \frac{2}{4} \quad \frac{2}{5}\cdots$$

$$\frac{3}{1} \quad \frac{3}{2} \quad \frac{3}{3} \quad \frac{3}{4} \quad \frac{3}{5}\cdots$$

$$\frac{4}{1} \quad \frac{4}{2} \quad \frac{4}{3} \quad \frac{4}{4} \quad \frac{4}{5}\cdots$$

Anoto en la primera fila todas las fracciones que tienen numerador 1, en la segunda fila todas las que tienen numerador 2, en la tercera fila todas las que tienen numerador 3, etc. Evidentemente, al escribirlas de este modo hay algunas que se repiten, por ejemplo, $\frac{3}{3}$ es lo mismo que $\frac{2}{2}$ o que $\frac{1}{1}$. O sea, algunas fracciones quedan anotadas repetidas veces, pero eso no importa. Quien puede más, puede menos: si puedo contar con repeticiones puedo contar sin repeticiones. Lo que me interesa es que todos los números fraccionarios positivos aparecen en algún momento aquí. Me quedan la mitad de los negativos. Pero si sé contar los positivos es fácil contar los negativos. Los matemáticos me van a perdonar algunos deslices, que no hable con toda la precisión debida.

Lo que quiero hacerles notar, de lo que quiero convencerlos, es que en este cuadro infinito que armé, de infinitas filas, de infinitas columnas, están todas las fracciones positivas.

Para mostrar que hay "tantos" números fraccionarios como números naturales, bastaría entonces poder asignar un número natural a cada elemento de este cuadro de manera que al progresar en la enumeración nos aseguremos de que no quedarán elementos sin numerar. ¿Cómo puedo hacer esto? Es claro que no conviene empezar el recorrido tratando de agotar, por ejemplo, la primera fila, porque nunca pasaría a la segunda. El recorrido tiene que alternar elementos de las distintas filas para asegurar que se vaya cubriendo todo el cuadro. El método de enumerar fracciones también lo descubrió Cantor, se lo conoce como el *recorrido diagonal de Cantor*.

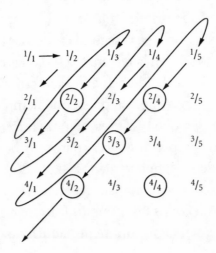

Es decir:

A la fracción $^1/_1$ le asigno el número 1.

A la fracción $^1/_2$ le asigno el número 2.

A la fracción $^2/_1$ le asigno el número 3.

A la fracción $^1/_3$ le asigno el número 4.

A la fracción $^2/_2$ la salteo porque ya la conté ($^1/_1 = {}^2/_2$).

A la fracción $^3/_1$ le asigno el número 5.

A la fracción $^1/_4$ le asigno el número 6, etc.

El recorrido avanza por diagonales cada vez más largas y barre de esa manera todas las filas y todas las columnas. A medida que avanzo me aseguro de que voy numerando a todos los números fraccionarios y paso por encima, simplemente salteo, a las fracciones que se repiten y que ya numeré, como $^3/_3$ o $^2/_4$. ¿Qué se demuestra con esto? Que a pesar de que el infinito de los números fraccionarios parece más apretado, hay "tantos" números fraccionarios como números naturales. Más aún, con esta enumeración se le puede dar un orden consecutivo a los números fraccionarios, un orden, por supuesto, distinto del que tienen en la recta, pero que permite explicar la enumeración de páginas en el Libro de Arena. Esto es algo que posiblemente Borges no supiera. La numeración de páginas que a Borges en el cuento le parece misteriosa y a la que le atribuye una razón también misteriosa, en principio no tiene ningún misterio. No hay contradicción entre el hecho de que dadas dos hojas del Libro de Arena siempre hay otra intercalada con el hecho de que cada hoja pueda tener un número: el mismo habilidoso imprentero que pudo coser las infinitas páginas del Libro de Arena pudo también perfectamente numerarlas tal como lo estamos haciendo nosotros.

El infinito y la Biblioteca de Babel

A los matemáticos, y también a Borges, les gusta exprimir las ideas, repetirlas, sacarles todo el partido posible. Ahora que tengo este cuadro no me resisto a usarlo una vez más para otro tema recurrente en Borges, que es el tema de los lenguajes, tal como está presente, por ejemplo, en "La biblioteca de Babel".

Pensemos un momento en la idea de "La biblioteca de Babel", una biblioteca de libros no necesariamente inteligibles, una biblioteca absoluta cuya ley fundamental es: "basta que un libro sea posible para que exista". Borges fija un alfabeto de veinticinco símbolos; pero nosotros, para darnos todavía más libertad, pensaremos en libros escritos en todos los idiomas posibles y haremos una sola lista, un alfabeto universal, reuniendo todos los signos de todos los alfabetos existentes. Empezamos con los veinticinco símbolos ortográficos que menciona Borges (y de este modo nos aseguramos de que todos los libros de la Biblioteca de Babel estén también en nuestros anaqueles). Proseguimos con los veintisiete símbolos del alfabeto castellano. Agregamos como nuevos símbolos las cinco vocales acentuadas. Seguimos, por ejemplo, con los símbolos del cirílico, después agregamos la ö del alemán y los demás símbolos diferentes que tenga cada idioma. Así, el alfabeto básico va creciendo y creciendo. Para darnos un margen hacia el futuro podemos suponer directamente que los símbolos de nuestro alfabeto son los números naturales, de esa manera nos queda espacio siempre disponible para poder adicionar nuevos alfabetos, nuevos símbolos como la @, o símbolos de lenguajes extraterrestres que nos lleguen en algún momento. Los números del 1 al 25 corresponden a los símbolos ortográficos de los libros de la Biblioteca de Babel, el número 26 es la A, el número 27 es la B, el número 526 será quizá un idiograma chino, etcétera.

Recuerdan ustedes que en "La biblioteca de Babel" Borges acota el número de páginas que puede tener cada libro: cuatrocientas diez páginas. Lo que nosotros nos preguntamos ahora es de qué tipo será el infinito de todos los libros distintos de *cualquier* número de páginas que pueden escribirse con este alfabeto universal si admitimos palabras de *cualquier* longitud.

Usando este mismo cuadro puede probarse que este conjunto de libros *también es enumerable*. La idea es, por supuesto, disponer en la primera fila los libros de una sola página, en la segunda fila los libros de dos páginas, en la tercera fila los libros de tres páginas, etc. Y luego hacer la enumeración de acuerdo al recorrido diagonal de Cantor. Como todos los libros de la Biblioteca de Babel están también incluidos en nuestros anaqueles, podemos concluir que el conjunto de libros de la Biblioteca de Babel es enumerable. ¿Por qué tiene importancia esto para la comprensión del cuento de Borges?

En una nota al final del cuento, Borges escribe que una amiga le observó que toda la construcción de la Biblioteca de Babel era superflua o excesiva (él usa la palabra *inútil*), porque en realidad todos los libros de la Biblioteca de Babel cabrían en un solo volumen. En un solo libro de infinitas páginas infinitamente delgadas, "un vademecum sedoso en el que cada hoja se desdoblaría en otras". La forma de hilvanar los distintos libros uno detrás del otro en este único volumen no sería más que este recorrido diagonal de Cantor.

Esta nota al pie que cierra el cuento es el germen de la idea que da después como resultado "El libro de arena". Ésta es una forma de concebir muy matemática. El primer ejemplo, "La biblioteca de Babel", es laborioso, profuso, por supuesto tiene otra riqueza y tiene otros significados, no estoy diciendo que se reduzca a esto. Pero Borges encuentra al final una idea más simple: que se pueden reunir todos los libros en un único volumen, con una cantidad infinita de páginas. Él dice: un libro tal que cada página sea divisible. Es el preanuncio del cuento "El libro de arena". Quiero llamar la atención sobre este modo de reflexionar sobre sus propios textos para abstraer una idea esencial que repetirá o desdoblará en otros sitios. Es el primer ejemplo de un procedimiento general, una operación que recuerda los modos matemáticos y que estudiaremos con más detenimiento luego.

La esfera con centro en todas partes y circunferencia en ninguna

Examinemos ahora el segundo elemento de matemática en "El Aleph". Aparece en el momento en que Borges está por describir el Aleph, y dice: "cómo transmitir a los otros el infinito Aleph, que mi temerosa memoria apenas abarca".

Algo más digo aquí sobre el símbolo aleph. Me parece particularmente acertada la figura de un hombre con un brazo que toca la tierra y otro brazo que apunta al cielo, porque de algún modo la operación de contar es el intento humano de acceder a lo infinito. Es decir, el ser humano no puede, en su vida finita —en su "vidita", como diría Bioy Casares—, contar efectivamente todos los números, pero tiene una manera de generarlos, una manera de concebir y acceder a un número tan grande como sea necesario. A partir del descubrimiento de la escritura decimal, a partir de los diez dígitos, puede alcanzar números tan grandes como quiera. Aun limitado a su situación terrestre, todavía puede extender su brazo al cielo. Ése es el intento y la dificultad de contar. Algo similar escribe Borges: "¿cómo transmitir a los otros el infinito Aleph, que mi temerosa memoria apenas abarca? Los místicos, en análogo trance, prodigan los emblemas: para significar la divinidad un persa habla de un pájaro que de algún modo es todos los pájaros; Alanus de Insulis, de una esfera cuyo centro está en todas partes y la circunferencia en ninguna". Un poco más abajo dice: "por lo demás, el problema central es irresoluble. La enumeración siquiera parcial de un conjunto infinito". Es decir, lo que él acomete es la descripción del Aleph, que es infinito. Y no lo puede agotar en la escritura, porque la escritura es secuencial, el lenguaje es "sucesivo", es el problema al que nos referíamos recién. Entonces tiene que dar una idea, una muestra, una lista de imágenes suficientemente convincente. Es la célebre enumeración de imágenes que viene a continuación y a la que nos referiremos luego.

Pero en realidad la segunda idea en la que me quiero detener ahora es esta esfera que aparece también en

"La esfera de Pascal". Una esfera *cuyo centro está en todas partes y la circunferencia en ninguna.* Borges advierte aquí: "No en vano rememoro esas inconcebibles analogías". Es una analogía muy precisa que añade verosimilitud a la esferita que quiere describir. Para entender esta idea geométrica, que en principio parece un juego de palabras, pensemos primero en el plano, en vez de esferas pensemos en círculos. La idea sería la siguiente: todos los puntos del plano son abarcables por círculos crecientes cuyo centro no importa realmente donde esté, el centro puede estar en cualquier parte.

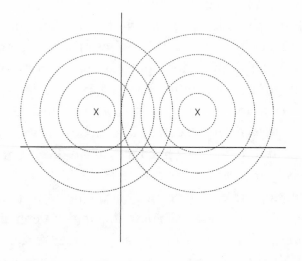

Hago centro en cualquier punto, no importa el punto, y considero círculos cada vez más grandes. A medida que aumento el radio esos círculos van ocupando toda la superficie del plano. En el ensayo "La esfera de Pascal", cuando quiere precisar un poco más esta imagen, Borges escribe: "Calogero y Mondolfo razonan que intuyó una esfera infinita, o *infinitamen-*

te creciente, y que las palabras que acabo de transmitir tienen un sentido dinámico". O sea, podemos concebir y reemplazar al plano por un círculo que crece y crece, porque todos los puntos del plano son abarcables por ese círculo. Ahora, en ese círculo que se expande indefinidamente, la circunferencia se perderá en el infinito. No podemos delimitar ninguna circunferencia. Ésta, creo yo, es la idea a la que se refiere. Haciendo un salto al infinito se puede pensar que todo el plano es un círculo con centro en cualquier punto y circunferencia en ninguna parte.

El mismo tipo de construcción vale si uno piensa en el espacio tridimensional. Es decir, una esfera pensada como un globo que crece infinitamente y va ocupando todos los puntos. En definitiva, el universo puede concebirse como una esfera infinitamente expandida. Ésta es, dicho sea de paso, la concepción actual del universo en la física contemporánea: una esferita de magnitud infinitesimal y masa infinitamente concentrada que en algún momento, en el *Big Bang*, se expandió en todas direcciones. ¿Por qué es interesante esta "inconcebible analogía"? Porque el Aleph es una esferita. Si uno logra ver a todo el universo también como una gran esfera, es mucho más plausible la idea de que todas las imágenes del universo puedan reproducirse en la esferita al pie de la escalera. Simplemente por contracción uno puede trasvasar todo el universo a la esfera pequeña. Éste es, por supuesto, sólo uno de los sentidos con que Borges utiliza esta analogía: el sentido al que prestamos particular atención en nuestro modo matemático con el que vemos "todo a lo grillo esta mañana". Pero, como dije antes, la matemática se desliza en los textos de Borges dentro de un contexto de referencias filosóficas y literarias: la idea del universo como esfera está vinculada a toda una tradición de misticismo, religiosa, cabalística, en fin, estas otras connotaciones están explicadas con más detalle en "La esfera de Pascal".

La paradoja de Russell

La tercera idea es lo que yo llamaría la "paradoja de la magnificación" (técnicamente, es lo que se llama en lógica *autorreferencia*, pero la palabra "autorreferencia" tiene un significado distinto en literatura y no quisiera mezclarlos). Esta paradoja aparece en el momento de la enumeración, en que Borges se decide a dar la descripción parcial de las imágenes en el Aleph. Pero también ocurre en otras ficciones, cuando Borges construye mundos que son muy vastos, abarcatorios y que terminan por incluirlo a él mismo —o a los lectores— en su ámbito. En "El Aleph" esto puede verse aquí: "Vi la circulación de mi oscura sangre, vi el engranaje del amor y la modificación de la muerte. Vi el Aleph, desde todos los puntos. Vi en el Aleph la tierra y en la tierra otra vez el Aleph y en el Aleph la tierra. Vi mi cara y mis vísceras, vi tu cara y sentí vértigo y lloré".

La postulación de objetos muy vastos, la magnificación, da lugar a curiosas paradojas y Borges debía conocer perfectamente la más famosa, debida a Bertrand Russell, que hizo tambalear la teoría de conjuntos y que fue una de las fisuras más importantes en los fundamentos de la matemática. La paradoja de Russell dice que no se puede postular la existencia de un conjunto que contenga a todos los conjuntos, es decir, que no puede postularse un Aleph de conjuntos. Esto se puede explicar rápidamente de este modo: observemos que los conjuntos más usuales en los que podemos pensar no son elementos de sí mismos. Por ejemplo, el conjunto de todos los números naturales no es ninguno de los números naturales. El conjunto de todos los árboles no es un árbol. Pero pensemos ahora por un momento en el conjunto de todos los conceptos. El conjunto de todos los conceptos sí es en sí mismo un concepto. O sea que, aunque un poco más rara, cabe la posibilidad de que un conjunto sea elemento de sí mismo. Si yo postulo el conjunto de todos los conjuntos, ése, por ser en sí mismo un conjunto, tendría que ser elemento de sí mismo.

En definitiva, hay conjuntos que son elementos de sí mismos, y otros que no. Consideremos ahora el conjunto de todos los conjuntos que no son elementos de sí mismos.

$$X = \{A \text{ tal que } A \text{ es un conjunto y } A \text{ no está en } A\}$$

En X estará el conjunto de los números naturales, el conjunto de todos los árboles, el conjunto de las personas de esta sala, etc. Entonces nos preguntamos: ¿será X elemento de X? La respuesta debería ser sí o no. Ahora bien, si X fuera elemento de sí mismo tiene que verificar la propiedad dentro de la llave. O sea, que si X pertenece a X, X no está en X. Pero esto es absurdo. ¿Será entonces que X no es elemento de sí mismo? Pero si X no es elemento de sí mismo, verifica la propiedad dentro de la llave, por lo tanto tiene que estar en X, es decir, si X no es elemento de X, X tiene que pertenecer a X. Otra vez absurdo. Tenemos aquí un conjunto que está en una tierra de nadie, un conjunto que *no es ni no es* elemento de sí mismo.

Ésta es la paradoja que encontró Russell, cuando era joven, y le envió una carta a Gottlob Frege, uno de los próceres de la lógica, que estaba por entregar a prensa el último volumen de su gran tratado sobre los fundamentos de la matemática, basado justamente en la teoría de conjuntos. Frege agradeció la comunicación al final de su tratado con las siguientes patéticas palabras: "Un científico difícilmente pueda encontrarse en una situación más indeseable que ver desaparecer sus fundamentos justo cuando su trabajo ha terminado. Fui puesto en esta posición por una carta de Mr. Bertrand Russell cuando mi obra estaba por ir a imprenta". Con estas pocas líneas Russell no sólo dio por tierra el trabajo de diez o quince años de Frege, sino que provocó una de las crisis más profundas en los fundamentos de la matemática.

Para popularizar esta paradoja, Russell pensó en el barbero de un pueblo que únicamente afeita a los hombres que no se afeitan a sí mismos. En principio la existencia de un hombre con esta honesta profesión parece razonable: el barbero de un pueblo, diría uno, es precisamente el hombre que afeita a todos los hombres que no se afeitan a sí mismos. Ahora bien, ¿el barbero debe afeitarse a sí mismo, o no debe afeitarse a sí mismo? Si se afeita a sí mismo, deja de estar en la clase de los hombres a los que puede afeitar. O sea, no puede afeitarse a sí mismo. Pero, por otro lado, si no se afeita a sí mismo queda dentro de la clase de los hombres que no se afeitan a sí mismos y, por lo tanto, se tiene que afeitar. El barbero está atrapado en un limbo lógico en que su barba crece ¡y no puede ni afeitarse ni no afeitarse a sí mismo! (*risas*).

Hay una variación también atribuida a Russell y que la usa Borges elípticamente en "La biblioteca de Babel". Al principio del cuento "La biblioteca de Babel", el bibliotecario está a la búsqueda del catálogo de todos los catálogos. Les propongo que piensen para la semana próxima en la formulación de la paradoja en términos de catálogos. Porque ¿qué son en el fondo los catálogos? Son libros que tienen como texto títulos de otros libros. Hay catálogos que se incluyen a sí mismos entre sus títulos y otros que no. De esa manera uno puede llegar a la misma paradoja.

¿Por qué Borges interesa a los matemáticos?

Estos tres elementos que acabamos de examinar aparecen una y otra vez en la obra de Borges moldeados en formas literarias de diversas maneras. En el ensayo "El cartesianismo como retórica (o ¿por qué Borges interesa a los científicos?)", del libro *Borges y la ciencia*, la autora, Lucila Pagliai, se pregunta por qué los textos de Borges son tan caros a los investigadores científicos, a los físicos, a los matemáticos. La conclusión a la que llega es que hay en Borges una matriz esencialmente ensayística, sobre todo en la obra madura. Y por supuesto, todo el texto trata de fundamentar esto. Es un ensayo agudo, creo que es una parte de la verdad. Borges es un escritor que procede desde una idea: "en el principio era la idea", y concibe sus ficciones como encarnaciones o avatares de una concepción abstracta. Hay también fragmentos de argumentación lógica en muchos de los relatos. Este tipo de matriz ensayística a la que ella se refiere es, indudablemente, uno de los elementos que marcan cierta similitud con el pensamiento científico. En un pequeño artículo que escribí sobre el mismo tema, "Borges y tres paradojas matemáticas", apunto a los elementos de estilo que tienen afinidad con la estética matemática. Leo de allí la tesis principal.[1]

"Dije antes que hay una multitud de rastros matemáticos en la obra de Borges. Esto es cierto, pero aun si no hubiera ninguno, aun en los textos que nada tienen que ver con la matemática, hay algo, un elemento de estilo en la escritura, que es particularmente grato a la estética matemática. Creo que la clave de ese elemento está expresada, inadvertidamente, en este pasaje extraordinario de *Historia de la eternidad*: «No quiero despedirme del platonismo (que parece glacial) sin comunicar esta observación, con esperanza de que la prosigan y justifiquen: *lo genérico puede ser más intenso que lo concreto*. Casos ilustrativos no faltan. De chico, veraneando en el norte de la provincia, la llanura redonda y los hombres que mateaban en la cocina me interesaron, pero mi felicidad fue terrible cuando supe que ese redondel era 'pampa' y esos varones 'gauchos'. Lo genérico... prima sobre los rasgos individuales»".

Cuando Borges escribe, típicamente acumula ejemplos, analogías, historias afines, variaciones de lo

1. Otro excelente ensayo de *Borges y la ciencia*, "Indicios", de Humberto Alagia, me llamó la atención sobre el fragmento de *Historia de la Eternidad* que cito dentro de este pasaje.

que se propone contar. De esta manera, la ficción principal que desarrolla es a la vez particular y genérica, y sus textos resuenan como si el ejemplo particular llevara en sí y aludiera permanentemente a una forma universal. Del mismo modo proceden los matemáticos. Cuando estudian un ejemplo, un caso particular, lo examinan con la esperanza de descubrir en él un rasgo más intenso, y general, que puedan abstraer en un teorema. Borges, les gusta creer a los matemáticos, escribe exactamente como lo harían ellos si los pusieran a prueba: con un orgulloso platonismo, como si existiera un cielo de ficciones perfectas y una noción de verdad para la literatura."

Esto resume, de algún modo, lo que yo pienso sobre la articulación del pensamiento matemático en el estilo de Borges. Por ahora es muy poco más de lo que los matemáticos llaman un *claim*, algo que se afirma por anticipado pero que debe probarse en algún momento. En la próxima charla intentaré fundamentar esta afirmación y leeré algunos de los textos no matemáticos de Borges bajo esta luz. Les agradezco que hayan estado aquí, hasta la semana próxima.

Borges y la matemática
Clases del Malba

Segunda clase (26 de febrero de 2003)

Buenas tardes, muchas gracias por persistir en esta segunda charla. Quisiera empezar con una breve recapitulación de lo que vimos la clase pasada, e iré aportando algunas evidencias más sobre lo que dijimos. Quiero llamarles la atención sobre este libro, *Borges, Textos recobrados* (Emecé). Es parte de un trabajo de recuperación de todos sus textos, hay ensayos realmente notables y se ve también de cuerpo entero al Borges polemista. Habíamos hablado en el principio del principio sobre la educación matemática de Borges. En este libro hay un artículo que se llama "La cuarta dimensión". Es un artículo bastante técnico, que permite apreciar que Borges leía con profundidad textos de matemática, en particular de geometría. Tiene algo que ver con la cuestión que habíamos dejado pendiente al final de la clase anterior, la cuestión de lo genérico, lo concreto, la formación de conceptos, el platonismo, etc. Dice en un momento: "la superficie, el punto y la línea son ideales geométricos pero así mismo lo es el volumen, y así mismo lo puede ser el hipervolumen de cuatro dimensiones. No habrá en el universo material un solo triángulo absolutamente equilátero pero lo podemos intuir. No habrá un solo hipercono pero alguna vez lo intuiremos". Dice luego: "Esa promesa nos la da el libro de Hinton, *Una nueva era del pensamiento*". Y a continuación agrega sobre este libro: "Lo he comprado, lo he comenzado a leer, lo he prestado" Esto último confirma algo de lo que intentaba decir, la cantidad de libros de matemática en una biblioteca no indica nada sobre la educación matemática de su dueño, porque los libros de matemática son fáciles de empezar y difíciles de terminar. Digamos, que se prestan fácilmente en el medio (*risas*).

Borges prosigue: "Queda un hecho innegable, rehusar la cuarta dimensión es limitar el mundo, afirmarla es enriquecerlo. Mediante la tercera dimensión, la dimensión de altura, un punto encarcelado en un círculo puede huir sin tocar la circunferencia".

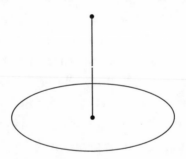

En efecto, el punto "escapa" hacia arriba. Y dice a continuación —en lo que ya se percibe como el germen de un posible cuento—, la transición de la que ya habíamos hablado de un problema abstracto a una ficción, el pasaje a la encarnación literaria de una idea matemática: "Mediante la cuarta dimensión, la no imaginable, un hombre encarcelado en un calabozo podría salir sin atravesar el techo, el piso o los muros".

Hablamos también la clase pasada del infinito, mostramos que en el infinito hay partes que equivalen al todo, y abstrayendo esta propiedad definimos lo que llamamos *objetos recursivos*. Quiero decir que algunas personas me trajeron muy buenos ejemplos de objetos recursivos y anti-recursivos. Un número periódico sería un objeto recursivo: basta conocer el período para conocer todo el número. En cambio, un número como π sería un objeto anti-recursivo porque no puede anticiparse cómo es el resto del número por más que se conozca una parte tan larga como se quiera. Otro ejemplo de objeto anti-recursivo es la lista de números que corresponde a las sucesivas bolas de una ruleta en el casino, hay una definición del azar que se basa en esta idea.[1] Ésos serían ejemplos matemáticos. También me han observado que los idiomas son objetos recursivos. Efectivamente, la piedra con jeroglíficos de la ciudad de Rosetta bastó para reconstruir el egipcio antiguo. Otro ejemplo de objeto anti-recursivo: un cuento, un cuento que sea suficientemente riguroso no admite que se le saque ninguna parte. También, cualquier habitación con un espejo se convierte en un objeto recursivo. O bien, una pintura como *Las Meninas*, de Velázquez, o *La condición humana*, de Magritte, en las que una parte del cuadro es el lienzo donde se reproduce el todo.

Bien, después comenté en algún momento que los matemáticos hasta 1870 pensaban que había un solo infinito al que designaban con el símbolo ∞, hasta que Cantor mostró que hay un primer infinito que es el de

---

1. Ver "La música del azar", en este mismo libro.

los números naturales, al que designó con el símbolo $\aleph$. Probamos que este primer infinito de los naturales es también el tipo de infinito de los números fraccionarios y el infinito de todos los libros imaginables. Y yo no dije más nada. Lo que faltó decir, que lo digo ahora, es que en realidad el infinito de los naturales es el más ralo posible. Hay toda una cadena de infinitos cada vez más nutridos a partir de éste. Los números reales tienen un infinito estrictamente mayor. Y se pueden construir, mediante la operación de agregar todas las partes de un conjunto dado, infinitos cada vez mejor alimentados, cada vez más populosos. Hay toda una torre de infinitos, una jerarquía interminable de diferentes clases de infinito.

También comentamos que el conjunto de los números fraccionarios entre 0 y 1 era el Libro de Arena. El 0 es la tapa, el 1 la contratapa y en el medio están todas las páginas. Dijimos que no había ninguna contradicción entre el hecho de que no pudiera abrirse el libro en una primera página y el hecho de que todas las páginas estuvieran numeradas. Mostramos, con el recorrido diagonal de Cantor, que si hay un imprentero lo suficientemente hábil como para coser todas las páginas del Libro de Arena, también las puede enumerar.

Hablamos luego de la esfera de Alanus de Insulis, con centro en todas partes y la circunferencia en ninguna. Me han observado sobre esta esfera que técnicamente Borges habría debido escribir quizá: "con centro en todas partes y la *superficie* en ninguna", ya que la noción correspondiente a la de circunferencia para el círculo es la de superficie para la esfera. Yo creo que la frase perdería algo de su poder inmediato de evocación y quiero recordar aquí lo que dijimos sobre el trasvasamiento de la matemática en términos literarios: Borges, creo yo, arrastra en este punto el ejemplo del círculo y de aquí proviene la "imprecisión". Pero podemos también pensar que la circunferencia de una esfera es la línea del ecuador, que de algún modo ciñe y da límite a la esfera en el caso finito.

Luego fuimos a la tercera paradoja: el barbero que afeita a todos los hombres que no se afeitan a sí mismos. Yo les hice notar que hay una variante con los catálogos de una biblioteca. En efecto, hay catálogos que deben mencionarse a sí mismos en la lista de sus títulos. Por ejemplo, si el catálogo de los libros en español está escrito en español, debe incluirse a sí mismo. Uno puede pensar en el catálogo de todos los libros que no se mencionen a sí mismos. Y de esa manera llegamos al mismo absurdo: este libro hipotético no podría ni mencionarse ni no mencionarse a sí mismo. Es decir, no existe el catálogo de todos los posibles catálogos. Borges conocía muy bien esta variante de la paradoja porque la desliza en "La biblioteca de Babel": "…he peregrinado en busca de un libro, acaso del catálogo de catálogos".

En realidad también la esfera con centro en todas partes y circunferencia en ninguna reaparece en "La biblioteca de Babel". Sólo que Borges decide aquí reemplazar la esfera por hexágonos. Le atribuye a las salas una forma hexagonal, creo yo, porque el hexágono es un polígono cuya forma evoca ya suficientemente a la circunferencia. Sería muy incómodo, chocaría con la realidad concreta como la conocemos pensar en estantes que sean curvos si los libros son rectangulares.

43

Borges contempla por un momento esta posibilidad, que la atribuye a una visión mística: "Los místicos pretenden que el éxtasis les revela una cámara circular con un gran libro circular de lomo continuo, que da toda la vuelta de las paredes… ese libro cíclico es Dios". Entonces una figura cercana a la circularidad que encuentra Borges es el hexágono, y dice, con esta pequeña variante: "La biblioteca es una esfera cuyo centro cabal es cualquier hexágono, cuya circunferencia es inaccesible".

Lo genérico versus lo concreto.
"La escritura del Dios" y "Funes el memorioso".
La estrategia de lo universal

Así llegamos, finalmente, a la discusión de lo genérico versus lo concreto, que es el primer elemento de estilo que me interesa examinar. Veamos en otros cuentos cómo reaparece esta misma idea. Uno es "La escritura del Dios". En "La escritura del Dios", ustedes recuerdan, hay un sacerdote encerrado en una cueva que una vez por día puede ver las manchas de un tigre.

Su Dios escribió una palabra sagrada en algún lugar del universo y él conjetura que esa palabra puede estar cifrada en las manchas movedizas del tigre. "No diré las fatigas de mi labor", dice en un momento. "Más de una vez grité a la bóveda que era imposible descifrar ese texto. *Gradualmente el enigma concreto que me atareaba me inquietó menos que el enigma genérico* de una sentencia escrita por un Dios. ¿Qué tipo de sentencia (me pregunté) construirá una mente absoluta?" Vemos aquí otra vez la articulación de una situación concreta con un problema abstracto.

Hablamos de los ejemplos afines con los que a Borges le gusta rodear sus ficciones. Es un procedimiento recurrente, incluso en "El Aleph". Él dice en un momento que el de la calle Garay sería un falso aleph, y enumera otras versiones posibles, incluyendo una columna de piedra en una mezquita, que encerraría en sí el rumor de todo el universo. También, en "Funes el memorioso": "Irineo empezó por enumerar, en latín y español, los casos de memoria prodigiosa registrados por la *Naturalis historia*: Ciro, rey de los persas, que sabía llamar por su nombre a todos los soldados de sus ejércitos; Mitrídates Eupator, que administraba la justicia en los 22 idiomas de su imperio; Simónides, inventor de la mnemotecnia", etc. Esto, debo decir, no sólo es un procedimiento de tipo "matemático" que acumula ejemplos para entender qué es lo esencial o qué es lo general, sino también una estrategia, que describe muy bien Piglia en su ensayo "¿Existe la novela argentina?":

> "¿Qué pasa cuando uno escribe en una lengua marginal? Sobre estas cuestiones reflexiona Gombrowicz en su *Diario* y la cultura argentina le sirve de laboratorio para experimentar sus hipótesis.
> En este punto, Borges y Gombrowicz se acercan. Basta pensar en uno de los textos fundamentales de la poética borgeana: *El escritor argentino y la tradición*. ¿Qué quiere decir la tradición argentina? Borges parte de esa pregunta y el ensayo es un manifiesto que acompaña la construcción ficcional de «El Aleph», su relato sobre la escritura na-

cional. ¿Cómo llegar a ser universal en este suburbio del mundo? ¿Cómo zafarse del nacionalismo sin dejar de ser «argentino» (o «polaco»)? ¿Hay que ser «polaco» (o «argentino») o resignarse a ser un «europeo exiliado» (como Gombrowicz en Buenos Aires)?"

Digamos que los ejemplos que prodiga Borges no son cualesquiera, son ejemplos siempre prestigiosos de alguna tradición universal, están elegidos dentro de esta estrategia de inserción de sus textos en lo universal. De algún modo, siempre está ese complejo que acompaña a Borges: se resigna a escribir sobre los suburbios porteños y sobre compadritos, pero se preocupa por demostrar, a veces con ironía (llama, por ejemplo, a su Irineo Funes un "Zarathustra cimarrón y vernáculo"), que su "destino sudamericano" es un avatar legítimo de cualquier universalidad. En la elección de ejemplos juega siempre este elemento de cosmopolitismo.

Lo genérico y lo concreto en la formación de conceptos

El tema de lo abstracto y lo concreto tenía un particular interés teórico para Borges, y lo convirtió en tema también de sus cuentos.

En un momento de "Funes el memorioso" se dice: "Una circunferencia en un pizarrón, un triángulo rectángulo, un rombo, son formas que podemos intuir plenamente; lo mismo le pasaba a Irineo con las aborrascadas crines de un potro, con una punta de ganado

46

en una cuchilla, con el fuego cambiante y la innumerable ceniza, con las muchas caras de un muerto en un largo velorio. No sé cuántas estrellas veía en el cielo".

Este mismo pasaje lo cita Oliver Sacks en su ensayo "Los gemelos" (dentro de su extraordinario libro *El hombre que confundió a su mujer con un sombrero*, Anagrama), cuando reflexiona sobre la inteligencia y la memoria. Ese ensayo, y en realidad todo el libro, aportan un costado imprevisto, neurofisiológico, a esta discusión filosófica. Para Funes, nos dice Borges, lo concreto y lo abstracto son lo mismo. Lo concreto no llega a consolidarse, a despojarse, a decantarse en lo abstracto. Todo es un mismo plano. Por eso puede concebir un sistema de numeración que tiene veinte mil símbolos. Se dice sobre este proyecto:

"Locke, en el siglo XVII, postuló (y reprobó) un idioma imposible en el que cada pájaro y cada rama tuviera un nombre propio; Funes proyectó alguna vez un idioma análogo, pero lo desechó por parecerle demasiado general, demasiado ambiguo. En efecto, Funes no sólo recordaba cada hoja de cada árbol, de cada monte, sino cada una de las veces qué la había percibido o imaginado. (…) Los dos proyectos que he indicado (un vocabulario infinito para la serie natural de los números, un inútil catálogo mental de todas las imágenes del recuerdo) son insensatos, pero revelan cierta balbuciente grandeza. Nos dejan vislumbrar o inferir el vertiginoso mundo de Funes. Éste, no lo olvidemos, era casi incapaz de ideas generales, platónicas. No sólo le costaba comprender que el símbolo genérico «perro» abarcara tantos individuos dispares de diversos tamaños y de diversas formas; le molestaba que el perro de las tres y catorce (visto de perfil) tuviera el mismo nombre que el perro de las tres y cuarto (visto de frente). Su propia cara en el espejo, sus propias manos, lo sorprendían cada vez".

Y finalmente dice:

"Había aprendido sin esfuerzo el inglés, el francés, el portugués, el latín. Sospecho, sin embargo, que no era muy capaz de pensar. Pensar es olvidar diferencias, es generalizar, abstraer. En el abarrotado mundo de Funes no había sino detalles, casi inmediatos".

Esta idea, la de que "pensar es olvidar diferencias, es generalizar, abstraer", puede vincularse con un texto que se encontró entre los papeles póstumos de Nietzsche sobre la formación de la lógica en el cerebro humano, justamente, como un indicio del triunfo de la bestialidad, o de la parte instintiva, la parte que reacciona rápidamente e iguala cosas que son en principio diferentes. En las épocas primitivas el hombre que sobrevivía era el que podía admitir que el lobo que lo iba a atacar visto a las tres y cuarto de frente era más o menos lo mismo que el lobo que lo iba a atacar a las tres y dieciséis visto de perfil, ¿no es cierto? Y quizá el Funes de aquella época moría en el intento de establecer las sutiles diferencias. Lo que quiero decir es que podría haber un principio dialéctico en la igualación formal, que está en el origen de la lógica. Que la identidad formal, y la lógica, quizá se originen de su exacto opuesto.

Lo genérico y lo concreto en la escritura

Sobre la cuestión de lo genérico y lo concreto, hay también consecuencias interesantes en cuanto al estilo, que se recogen en este número del suplemento cultural de *Clarín* dedicado a Carlos Mastronardi (*Clarín*, 15/2/2003). En un momento, Mastronardi anota sobre Borges: "Siente y sufre como pocos esta dramática aporía del escritor, un idioma genérico o vago para una realidad minuciosa, diferenciada, singular".

El tema de lo genérico versus lo concreto es uno de los temas cruciales para cualquier escritor. Es un tema, digamos, de todos los días. Una cuestión de difíciles equilibrios: con cuánto detalle describir un personaje, hasta dónde delimitarlo, hasta dónde dejar que la imaginación del lector lo complete. Borges tenía su propia idea, uno puede oponer, por ejemplo, Borges con Saer en este sentido, o Borges con la preocupación de Nabokov por los preciosos detalles. Borges prefería asentar pocos detalles, diría yo, y dejar que el lector armara las figuras por sí mismo.

Hay un artículo, en realidad es la reseña de una novela de Norah Lange (*45 días y treinta marineros*), donde Borges dice: "El problema central de la novela es la causalidad. Si faltan pormenores circunstanciales, todo parece irreal; si abundan (como en las novelas de Bove o en el *Huckleberry Finn* de Mark Twain), recelamos de esa documentada verdad y de sus detalles fehacientes. La solución es ésta: inventar pormenores tan verosímiles que parezcan inevitables, o tan dramáticos que el lector los prefiera a la discusión".

Más de una vez Borges dijo sobre sus propios cuentos que prefería situarlos en épocas relativamente lejanas, de modo que los detalles fueran difíciles de comprobar, y el lector pudiera creerlos más o menos a ciegas, lo cual persigue ese mismo propósito: lograr la suspensión de la duda. En otra de sus anotaciones Mastronardi dice: "En la narrativa, observa Borges, no conviene dar todos los hechos psicológicos. Los censos minuciosos más bien conspiran contra la impresión de realidad que buscamos. Según Borges, lo sensato es identificarse con la intimidad de los personajes para mostrarlos después mediante algunos signos o trazos decisivos. Entiende que las oportunas omisiones los presentan más vívidos y concretos ante los ojos del lector".

La operación de abstracción

Bien, quiero dar ahora un primer ejemplo sobre la afirmación que dejamos en suspenso la clase anterior, sobre el método con el que Borges rastrea los temas de sus cuentos, acumula ejemplos, los compara, abstrae la forma general y suministra finalmente, como una variante más, su propia ficción. Seguiremos en esto un ensayo que se llama "Laberintos" (también en *Textos recobrados*).

Voy a leer entresacando algunas partes. Dice así:

> "El concepto de laberinto —el de una casa cuyo descarado propósito es confundir y desesperar a los huéspedes— es harto más extraño que la efectiva edificación o la ley de esos incoherentes pala-

cios. El nombre, sin embargo, proviene de una antigua voz griega que significa los túneles de las minas, lo que parece indicar que hubo laberintos antes que la idea de laberinto. Dédalo, en suma, se habría limitado a la repetición de un efecto ya obtenido por el azar. Por lo demás basta una dosis tímida de alcohol —o de distracción— para que cualquier edificio provisto de escaleras y corredores resulte un laberinto (…) El reciente libro de Thomas Ingram (…) es quizá la primera monografía consagrada a ese tema. [En un apéndice] trata de fijar «los inmutables y genuinos principios que el arquitecto-jardinero debe observar en todo laberinto». Esos principios se reducen a uno: la economía. Si el espacio es vasto, el dibujo debe ser simple; si es reducido los rodeos son menos intolerables".

Y a continuación agrega, citando a Ingram:

"Con dos millas cuadradas de terreno y doscientas bifurcaciones, curvas y ángulos rectos, el último chapucero es capaz de un buen laberinto. El ideal es el laberinto psicológico, el fundado, digamos, en la creciente divergencia de dos caminos que el explorador o la víctima supone paralelos".

Fíjense cómo Borges hace girar y moldea y estira la idea de laberinto. Parte de la definición más rudimentaria, de la etimología, pero inmediatamente observa que la idea de laberinto no necesariamente depende del edificio, de la construcción en sí, sino, a veces, del estado psicológico de la persona. A continuación incorpora un requisito estético: un laberinto no puede ser un galimatías. Esto, de nuevo, encuentra una analogía con la exploración de las ideas matemáticas. Los matemáticos no aprueban cualquier teorema. no les da lo mismo cualquier resultado. Siempre tienen en cuenta ciertas consideraciones estéticas. Una buena solución en matemática no es cualquier solución, tiene que tener cierta belleza, tiene que regularse de acuerdo con ciertos criterios de economía, de dosificación de herramientas, etc. En matemática se suele decir: no se puede matar a un mosquito con una bazooka. Ésta es la misma idea que la de las millas cuadradas de terreno con doscientas bifurcaciones.

Ahora, en un nuevo nivel de abstracción, Borges dice: "El laberinto ideal sería un camino recto y despejado de una longitud de cien pasos donde se produjera el extravío por alguna razón psicológica". La intención, como vemos, es llegar a la máxima simplicidad, pero sin perder lo esencial de la noción de laberinto: el extravío. "No lo conoceremos en esta tierra" —dice— "pero cuanto más se aproxime nuestro dibujo a ese arquetipo clásico y menos a un mero caos arbitrario de líneas rotas, mejor. Un laberinto debe ser un sofisma, no un galimatías". Reencontraremos otra vez esta idea, vinculada a la paradoja de Aquiles y la tortuga, al final del cuento "La muerte y la brújula".

A continuación, se repasan en el artículo algunos de los laberintos más famosos, incluido el de Creta. Finalmente, dice Borges: "Del primer apéndice de la obra copiamos una breve leyenda arábiga traducida al inglés por Sir Richard Burton. Se titula «Historia de los dos reyes y los dos laberintos»".

Aquí se verifica acabadamente la tesis de Lucila Pagliai sobre la matriz ensayística de la obra de Borges. Borges, dentro de este ensayo, delimita las ideas principales, encuentra la generalización que le interesa y escribe, como si fuera todavía prolongación del ensayo, uno de sus propios cuentos. Porque "Historia de los dos reyes y los dos laberintos" es en realidad un cuento suyo. Lo leo:

"Cuentan los hombres dignos de fe (pero Alá sabe más) que en los primeros días hubo un rey de las islas de Babilonia que congregó a sus arquitectos y magos y les mandó construir un laberinto tan complejo y sutil que los varones más prudentes no se aventuraban a entrar, y los que entraban se perdían. Esa obra era un escándalo, porque la confusión y la maravilla son operaciones propias de Dios y no de los hombres. Con el andar del tiempo lo vino a visitar un rey de los árabes, y el rey de Babilonia (para hacer burla de la simplicidad de su huésped) lo hizo penetrar en el laberinto, donde vagó afrentado y desesperado los días y las noches. Al final imploró el socorro divino y dio con la puerta. Sus labios no profirieron queja ninguna pero le dijo al rey de Babilonia que él en Arabia tenía un laberinto mejor, y que si Dios era servido se lo daría a conocer algún día. Luego regresó a Arabia, juntó sus capitanes y sus alcaides y estragó los reinos de Babilonia, con tan venturosa fortuna que derribó sus castillos, rompió sus gentes e hizo cautivo al mismo rey. Lo amarró encima de un camello veloz y la llevó al desierto. Cabalgaron tres días y le dijo: «En Babilonia me quisiste perder en un laberinto con muchas escaleras, puertas y muros. Ahora el Poderoso ha tenido a bien que te muestre el mío, donde no hay escaleras que subir ni puertas que forzar ni fatigosas galerías que recorrer ni muros que te veden el paso». Luego desató las ligaduras y lo abandonó en mitad del desierto donde pereció de hambre y sed. La gloria sea con Aquel que no muere".

Yo creo que acabamos de presenciar una típica operación matemática: la abstracción absoluta del concepto de laberinto y la demostración de que un laberinto también puede ser un desierto. Esta operación de abstracción es uno de los procedimientos recurrentes de tipo matemático en la obra de Borges.

Doy un segundo ejemplo, en otro artículo del mismo libro que se llama "Diálogos del asceta y el rey". Exactamente el mismo tipo de procedimiento:

"Un rey es una plenitud, un asceta es nada o quiere ser nada. A la gente le gusta imaginar el diálogo de esos dos arquetipos. He aquí unos ejemplos derivados de fuentes orientales y occidentales".

Borges empieza a mencionar distintos ejemplos, como el de Diógenes.

"El sexto incluye otra versión de nadie ignorada cuyos protagonistas son Alejandro y Diógenes el cínico. Llegó aquél a Corinto para dirigir la guerra contra los persas y fueron todos a mirarlo y a agasajarlo. Diógenes no se movió de su arrabal y ahí Alejandro lo encontró una mañana tomando el sol. «Pídeme lo que quieras», dijo Alejandro. Y el otro desde el suelo le pidió que no le hiciera sombra."

Luego comenta una novela llamada *Preguntas de Milinda*, en donde el rey finalmente se transmuta en el asceta, toma los hábitos del asceta. Déjenme leer solamente este párrafo:

"Al vestir el hábito del asceta el rey en esta tercera versión parece confundirse con él, y nos recuerda a aquel otro rey de la epopeya sánscrita que deja su palacio y pide limosna por las calles y de quien son estas vertiginosas palabras: «Desde ahora no tengo reino o mi reino es ilimitado. Desde ahora no me pertenece mi cuerpo o me pertenece toda la tierra»".

Aquí yo encuentro un hilo conductor, un rastro que lleva a "La escritura del Dios". Si ustedes recuerdan el final del cuento "La escritura del Dios", ésa es la resolución del sacerdote cuando le es revelado el nombre de Dios, cuando finalmente logra leer la palabra. Decide no pronunciar la fórmula que lo liberaría y quedarse acostado en la cueva porque lo tiene todo y no tiene nada, y todo es lo mismo para él en ese momento:

"Quien ha entrevisto el universo, quien ha entrevisto los ardientes designios del universo, no puede pensar en un hombre, en sus triviales dichas o desventuras, aunque ese hombre sea él. *Ese hombre ha sido él* y ahora no le importa. Qué le importa la suerte de aquel otro, qué le importa la nación de aquel otro, si él, ahora es nadie. Por eso no pronuncio la fórmula, por eso dejo que me olviden los días, acostado en la oscuridad".

El ensayo prosigue enumerando ejemplos similares, modulaciones de la misma idea. Y dice:

"En las historias que he referido un asceta y un rey simbolizan la nada y la plenitud, cero y el infinito. Símbolos más extremos de ese contraste serían un dios y un muerto y su fusión más económica un dios que muere. Adonis herido por el jabalí de la diosa lunar, Osiris arrojado por Seth a las aguas del Nilo, éstos son ejemplos famosos de esa fusión. No menos patético es este que narra el fin modesto de un dios".

Y aquí, nuevamente, inserta su propia historia, esta vez sobre la muerte de Odín.

Borges cierra el ensayo con una frase que podría sintetizar por sí sola su interés casi científico en las abstracciones.

"Fuera de su virtud que puede ser mayor o menor, los textos anteriores, diseminados en el tiempo y el espacio, sugieren la posibilidad de una morfología (para usar la palabra de Goethe) o ciencia de las formas fundamentales de la literatura. Alguna vez he conjeturado en estas columnas que todas las metáforas son variantes de un reducido número de arquetipos; acaso esta proposición también es aplicable a las fábulas."

Estructuración lógica en los cuentos de Borges

Hasta aquí, hemos examinado una primera operación de tipo matemático, que es la que hemos llamado generalización o abstracción. La segunda, a la que me quiero referir hoy, es la que yo llamaría la *estructuración lógica* de los relatos. Entonces, sobre esto, también dejemos hablar primero a Borges para comprobar que su teoría coincidía con su práctica, lo cual no tiene por qué ser siempre cierto. Borges estaba absolutamente interesado en las cuestiones de estructura, tenía el convencimiento de que había leyes íntimas en los relatos, incluso en los géneros. A ese punto me quiero referir. Por ejemplo, en otro de los ensayos de *Textos recobrados* que se llama "Leyes de la narración policial" trata de abstraer cuáles son las leyes fundamentales de cualquier narración policial. No lo voy a leer todo pero dice: "Los mandamientos de la narración policial son tal vez los que siguen". Y enumera una lista:

"A) *Un límite discrecional de sus personajes.* La infracción temeraria de esa ley tiene la culpa de la confusión y el hastío de todos los filmes policiales…
B) *Declaración de todos los términos del problema.* Si la memoria no me engaña (o su falta), la variada infracción de esta segunda ley es el defecto preferido de Conan Doyle. Se trata a veces de unas leves partículas de cenizas recogidas a espaldas del lector por el privilegiado Holmes, y sólo derivables de un cigarro procedente de Burma que en una sola tienda se despacha, que sirve a un solo cliente, etcétera.
C) *Avara economía de los medios.*
D) *Primacía del cómo sobre el quién.*
E) *El pudor de la muerte.* Homero pudo transmitir que una espada tronchó la mano de Hipsenor y que la mano ensangrentada cayó por tierra y que la muerte color sangre y el severo destino se apoderaron de sus ojos; pero esas pompas de la muer-

te no caben en la narración policial cuyas musas glaciales son la higiene, la falacia y el orden.

F) *Necesidad y maravilla de la solución*".

Este último requerimiento es algo muy parecido a lo que uno pide en matemática, que el teorema se derive de las premisas, inevitablemente, pero que aun así haya cierto efecto (*the punch line*, se llama a veces a la conclusión inesperada de un teorema). Es decir, que el resultado, la tesis, no sea totalmente previsible de acuerdo con los datos iniciales, sino que maraville, desconcierte y revele algo novedoso, original, diferente a lo que se sospechaba hasta entonces.

Hay otro ensayo de Borges que es quizá más preciso en cuanto a los mecanismos de la creación, y deja, creo yo, muy claramente determinada su idea. Ese ensayo se llama "La génesis de «El cuervo» de Poe". Borges recuerda que en abril de 1846, el *Graham Magazine* de Filadelfia publicó un artículo a dos columnas de su corresponsal Mr. Poe titulado "La filosofía de la composición". Edgar Allan Poe en ese artículo procuraba explicar la morfología de su ya glorioso poema "El cuervo".

"Empieza por alegar los motivos fonéticos que le indicaron el estribillo melancólico *never more*, nunca más. Dice luego su necesidad de justificar de un modo verosímil el uso periódico de esa palabra. ¿Cómo reconciliar esa monotonía, ese «regreso eterno» con el ejercicio de la razón? Un ser irracional, capaz de articular el precioso adverbio, era la solución evidente. Un papagayo fue el primer candidato, pero inmediatamente un cuervo lo suplantó, más decoroso y lóbrego. Su plumaje aconsejó después la instalación de un busto de mármol, por el contraste de esa candidez y aquella negrura. Ese busto era de Minerva, de Palas: por la eufonía griega del nombre y para condecir con los libros y con el ánimo estudioso del narrador. Así de todo lo demás... No traslado la fina reconstrucción ensayada por Poe; me basta recordar unos eslabones. [...] Inútil agregar que ese largo proceso retrospectivo ha merecido la incredulidad de los críticos, cuando no su burla o su escándalo. ¡Del interlocutor de las musas, del poeta amanuense de un dios oscuro, pasar al mero devanador de razones! La lucidez en el lugar de la inspiración, la inteligencia comprensible y no el genio. ¡Qué desencanto para los contemporáneos de Hugo y aun para los de Bretón y Dalí! No faltó quien rehusara a tomar en serio las declaraciones de Poe... Otros, harto crédulos, temieron que el misterio central de la creación poética hubiera sido profanado por Poe y recusaron el artículo entero. Se adivinará que no comparto esas opiniones... Yo —ingenuamente acaso— creo en las explicaciones de Poe. Descontada alguna posible ráfaga de charlatanería pienso que el proceso mental aducido por él ha de corresponder, más o menos, al proceso verdadero de la creación. Yo estoy seguro de que así procede la inteligencia: por arrepentimientos, por obstáculos, por eliminaciones. La complejidad de las operaciones descritas no me incomoda; sospecho que la efectiva elaboración tiene que haber sido aún más compleja, y mucho más caótica y vacilante... Lo anterior no quiere decir que el arcano de la creación poética —de esa creación poética— haya sido revelado por Poe. En los eslabones examinados, la conclusión que el escritor deriva de cada premisa es, desde luego, lógica pero no la única necesaria."

Aquí hay un punto clave, y posiblemente en esta pequeña oración Borges haya llegado lo más lejos, desanimadoramente no muy lejos, en lo que se puede avanzar cuando se quiere decir algo sobre el proceso general de la creación. Y de nuevo, en esta discusión sobre la "divina y alada" intuición y los prosaicos pasos de tortuga lógicos aprovecho para contradecir un mito sobre la matemática: el proceso que describe Borges es exactamente igual a lo que ocurre en la creación matemática. Pensemos en el matemático que tiene que probar por primera vez un teorema, no en el matemático que sigue línea por línea la demostración de un teorema ya probado (que sería algo así como el lector con respecto a la obra ya terminada), sino en el matemático que se propone demostrar un resultado y no sabe ni siquiera si esa demostración verdaderamente existe. Esa persona se maneja en un mundo a tientas, y tiene que ir probando y equivocándose, refinando sus hipótesis, volviendo al principio para intentar otro camino. Tiene, también, todas las infinitas posibilidades a su alcance y a cada paso. Y así, cada ensayo será lógico, pero de ningún modo el único posible. Es como el jugador de ajedrez. Cada una de la jugadas del jugador de ajedrez para cercar a su rival corresponde a la lógica del juego pero ninguna está determinada de antemano. Éste es el paso crítico en la elaboración artística, matemática y en cualquier tarea de la imaginación. Es decir, yo no creo que haya nada peculiar en la creación literaria en cuanto a la dualidad imaginación/intuición, lógica/razón. Vuelvo ahora a lo que dice Borges:

"En los eslabones examinados, la conclusión que el escritor deriva de cada premisa es, desde luego, lógica; pero no es la única necesaria. Verbigracia, de la necesidad de un ser irracional capaz de articular un adverbio, Poe derivó un cuervo, luego de pasar por un papagayo; lo mismo pudo haber derivado un lunático, resolución que hubiera transformado el poema. Formulo esa objeción entre mil. Cada eslabón es válido, pero entre eslabón y eslabón queda su partícula de tiniebla o de inspiración incoercible".

Exactamente lo mismo ocurre en matemática, entre eslabón y eslabón tiene que estar la inteligencia y la inventiva humana que decide que ése y no otro es el camino adecuado. Borges agrega: "Lo diré de otro modo, Poe declara los diversos momentos del proceso poético pero entre cada uno y el subsiguiente queda infinitesimal el de la invención".

Bien, entonces sobre la base de estas ideas de Borges me gustaría referirme a un artículo que yo escribí en el que comparo al cuento con un sistema lógico haciendo una leve modificación sobre una idea de Piglia. Digamos, hay una idea que enunció Piglia de una manera muy elocuente y muy hermosa en un artículo que se llama "Tesis sobre el cuento" (ver *Crítica y ficción*, de editorial Fausto). El germen de esa idea, en realidad, se debería también a Borges, según me señaló Leopoldo Brizuela: en efecto, en el prólogo al libro *Los nombres de la muerte*, de María Esther Vázquez, Borges escribe: "Ya que el lector de nuestro tiempo es también un crítico, un hombre que conoce, y prevé, los artificios literarios, el cuento deberá constar de dos argumentos;

uno, falso, que vagamente se indica, y otro, el auténtico, que se mantendrá secreto hasta el fin".

Es la idea que luego elabora Piglia: la de que todo cuento es la articulación de dos historias, una que se cuenta sobre la superficie y otra subterránea, secreta, que el escritor hace emerger de a poco durante el transcurso del cuento y sólo termina de revelar por completo en el final.

En mi pequeña variación "El cuento como sistema lógico"[1] lo que yo observo es que parece un tanto excesivo, al analizar ejemplos concretos de cuentos, pedir que sean realmente dos historias, muchas veces no hay ni siquiera *una* historia en los cuentos (*risas*). Y propongo sustituir esa idea un tanto exigente por el esquema un poco más general, más laxo, de pensar en dos lógicas distintas. Digo que en general los cuentos empiezan en el estado del sentido común, la lógica inicial de alguna "normalidad", y que hay otro orden lógico oculto que sólo conoce al principio el narrador y que tiene que ver con aquello que quiere contar al final, con la dirección última hacia donde se dirige. El arte de prestidigitación del narrador es lograr transmutar la lógica inicial poco a poco en esta segunda lógica ficcional. Así, por ejemplo, un elemento que se introduce como un detalle deslizado al azar o intercambiable en la primera lógica puede ser absolutamente necesario para el segundo orden lógico. Bien. Ése es un poco el sentido del artículo.

1. Publicado también en este libro.

"*La muerte y la brújula*"

Entonces lo que yo quiero proponerles es seguir uno de los cuentos de Borges, "La muerte y la brújula", prestando atención a esa transmutación de las lógicas. Esto, por supuesto, no es algo particular o privativo de los cuentos de Borges. Esto se relaciona con la estructura del relato tradicional, pero Borges era particularmente consciente de estos niveles, sus cuentos en general están concebidos y estructurados de esta forma. Leo entonces el primer párrafo:

> "De los muchos problemas que ejercitaron la temeraria perspicacia de Lönnrot, ninguno tan extraño —tan rigurosamente extraño, diremos— como la periódica serie de hechos de sangre que culminaron en la quinta de Triste-le-Roy, entre el interminable olor de los eucaliptos. Es verdad que Erik Lönnrot no logró impedir el último crimen, pero es indiscutible que lo previó. Tampoco adivinó la identidad del infausto asesino de Yarmolinsky, pero sí la secreta morfología de la malvada serie y la participación de Red Scharlach, cuyo segundo apodo es Scharlach el Dandy".

Una observación aquí: fíjense que Borges escribe "la periódica serie de hechos de sangre" porque quiere atenerse en este relato a lo que él mismo ha dicho sobre el género policial, es decir, trata de jugar con todas las cartas sobre la mesa. Entonces usa lo que en principio parece un eufemismo, "hechos de sangre", para evitar la palabra "crímenes". Aquí todos sabemos cómo termina el cuento: no desencanto a nadie si digo que no todos son crímenes. Decir "crímenes" desde ese narrador omnisciente induciría al lector a una idea equivocada, y las dos lógicas no deben contradecirse sino solaparse.

Vamos ahora al segundo párrafo:

"El primer crimen ocurrió en el Hôtel du Nord —ese alto prisma que domina el estuario cuyas aguas tienen el color del desierto".

En principio lo que uno registra como dato importante es que el primer crimen ocurrió en un hotel. Aquí se ve el tema de lo contingente y lo necesario en los detalles. En la lógica inicial de la narración, el Hôtel du Nord, del que se da una descripción, es solamente un hotel, el nombre de un hotel. Pero el detalle importante es lo que al principio parece intercambiable, o aleatorio, la palabra "Nord", porque representa el punto cardinal del norte. O sea, el nombre del hotel, que en principio uno lee y pasa por alto sin darle ninguna particular atención, va a cobrar luego importancia en la historia. Lo mismo cuando dice:

"A esa torre (…) arribó el día tres de diciembre el delegado de Podólsk al Tercer Congreso Talmúdico, doctor Marcelo Yarmolinsky".

Uno lee "tres de diciembre" como un día cualquiera. Tres, cinco, ¿qué importa? Uno no registra demasiado las fechas, los números, sobre todo si uno es matemático, todos los números son iguales (*risas*). Supone que el autor también fijó la fecha con cierta arbitrariedad. Pero después sí tiene importancia que sea el tres.

Observen que Borges ya ha mencionado en estos dos primeros párrafos todos los elementos cruciales del cuento. Aparecen el investigador, el criminal, el nombre de quien será la primera víctima, etc. Ha dispuesto sus piezas como al comienzo de una partida de ajedrez. Se ve aquí otra vez su intención de "declarar todos los términos del problema".

A continuación, entonces, el primer crimen. Aparece muerto Yarmolinsky, un estudioso de sectas judías, en su cuarto de hotel. Se reúnen Treviranus, que es el detective "oficial", el detective del orden prosaico de lo real, y Lönnrot, que sería el detective de Borges, el detective del orden ficcional.

> "—No hay que buscarle tres pies al gato —decía Treviranus, blandiendo un imperioso cigarro—. Todos sabemos que el Tetrarca de Galilea posee los mejores zafiros del mundo. Alguien, para robarlos, habrá penetrado aquí por error. Yarmolinsky se ha levantado; el ladrón ha tenido que matarlo. ¿Qué le parece?
> —Posible, pero no interesante —respondió Lönnrot—. Usted replicará que la realidad no tiene la menor obligación de ser interesante. Yo le replicaré que la realidad puede prescindir de esa obligación, pero no las hipótesis. En la que usted ha improvisado, interviene copiosamente el azar. He aquí un rabino muerto; yo preferiría una explicación puramente rabínica, no los imaginarios percances de un ladrón."

Esta conversación es muy importante. La explicación de Treviranus se ajusta al caos de la realidad, a la aleatoriedad de la realidad, el crimen tiene un factor accidental. Lo que le reprocha Lönnrot es un desajuste estético, que no sea "literario". Él preferiría una hipótesis que le diera sentido a ese caos. Aquí está, en el fondo, subyacente, la discusión entre realidad y ficción. Digo esto porque Borges imagina una solución en que los dos términos aparecen. O sea, tanto el detective de la realidad como el detective ficcional Lönnrot tienen una parte de razón. Es muy interesante el tipo de resolución que da Borges, si bien no es totalmente novedosa, tengo que decir. Hay una novela de Agatha Christie, una escritora a la que muchos desprecian pero muchos más leen a escondidas, que tiene una idea muy similar. Después volveremos a esto.

Treviranus contesta:

"—No me interesan las explicaciones rabínicas; me interesa la captura del hombre que apuñaló a este desconocido.
—No tan desconocido —corrigió Lönnrot".

Y comenta cuáles son las obras que se encuentran de Yarmolinsky, toda una serie de obras sobre la cábala, la secta de los Hasidim, etc. Libros sobre el judaísmo. De nuevo es un elemento que parece intercambiable, podría haber o no libros en la habitación. Pero como narrador ¿qué es lo que necesita Borges? Necesita darles a sus lectores una pequeña lección del ABC de la cábala, para el desarrollo posterior de la historia. Entonces aquí los libros que encuentra tienen esa doble función. O sea, ¿cómo se las arregla Borges para dar la lección sin caer en el didactismo? La solución es imaginar que su detective es también ignorante en estos temas. Entonces, mientras su detective se retrae para leer sobre la cábala y la historia de estas sectas judías, el lector también adquiere la información que necesita para seguir adelante. En definitiva, aquí hay un recurso técnico. Pero, de nuevo, gran parte de la maestría de un escritor es convertir en esencial lo que es un recurso técnico, integrarlo naturalmente a la historia. En el ensayo del que les hablé, "El cuento como sistema lógico", yo comparo al escritor con un ilusionista que usa una de las manos para hacer el truco y la otra para disimularlo. Y digo luego que entre los escritores, el verdadero artista debería ser un mago como René Lavand, que, como ustedes saben, tiene una sola mano.

Tenemos entonces que Lönnrot, como dijimos, se dedica a estudiar los libros que encuentra y nos da las nociones fundamentales que se requieren sobre la cábala. Junto al muerto, recordemos, había un papel con la frase: "La primera letra del Nombre ha sido articulada".

Dentro de la lección se nos dice que uno de los libros habla de "las virtudes y terrores del Tetragrámaton, que es el inefable Nombre de Dios"; otro, de "la tesis de que Dios tiene un nombre secreto, en el cual está compendiado (como en la esfera de cristal que los persas atribuyen a Alejandro de Macedonia) su noveno atributo, la eternidad —es decir, el conocimiento inmediato de todas las cosas que serán, que son y que han sido en el universo".

Esta misma idea, que el nombre de Dios, una cierta combinación de letras, puede ser una puerta de acceso al conocimiento absoluto, reaparece en "La escritura del Dios".

Bien, a continuación hay otra digresión en la narración que también tiene un sentido. Aparece un artículo periodístico sobre el asesinato y Borges inserta este curioso párrafo:

> "Uno de esos tenderos que han descubierto que cualquier hombre se resigna a comprar cualquier libro, publicó una edición popular de la *Historia de la secta de los Hasidim*".

¿Cuál es el sentido de este desvío en la historia que se está narrando en primer plano? En principio se lee como una derivación de las tantas posibles sobre la repercusión que tuvo el asesinato. En realidad, esto es para solucionar un problema técnico de verosimilitud que sobreviene luego. El problema es que el hombre que está detrás de la serie, el hombre que está concibiendo la serie como una trampa para atraer a Lönnrot, es Scharlach. Y Scharlach es un criminal de los suburbios. Este personaje le presenta a Borges varias dificultades, creo que para sugerir algún refinamiento le atribuye ese segundo apodo, "el Dandy"; pero, de todos modos, ¿cómo lograr que un malevo de los suburbios sea de pronto versado en la secta de los Hasidim? Por eso se publica una edición popular. Ese cabo que parece suelto se recoge hacia el final.

Lo que quiero es que ustedes noten cómo Borges va armando la segunda estructura lógica del relato. Desde el final, mirando hacia atrás, muchos de los detalles se explicarán de otra manera. Pero esta segunda forma convive desde el principio, agazapada, disimulada en el orden lógico secuencial con que se desarrolla la trama.

Con el segundo crimen aparecen los elementos de regularidad de la serie. "El segundo crimen ocurrió la noche del tres de enero". Reaparece entonces el número tres y sabemos que ya no es una casualidad. La segunda víctima, un matón de nombre Azevedo, tiene "el rostro enmascarado de sangre"; "una puñalada profunda le había rajado el pecho. En la pared, sobre los rombos amarillos y rojos, había unas palabras en tiza". Las palabras, por supuesto, eran: "La segunda letra del Nombre ha sido articulada".

Así, con el segundo crimen, aparece el detalle de los rombos. Detalle que parece circunstancial con respecto al número tres pero que será esencial con respecto al número cuatro, que es el verdadero número de la serie. Los rombos están prefigurando la solución final. Después dice:

> "El tercer crimen ocurrió la noche del tres de febrero. Poco antes de la una, el teléfono resonó en la oficina del comisario…"

De nuevo, reaparece el número tres. La policía recibe un llamado de un tal Ginzberg o Ginsburg, "dispuesto a comunicar, por una remuneración razonable, los hechos de los dos sacrificios de Azevedo y de Yarmolinsky".

La palabra "sacrificio" aquí aparece deslizada como una de las variaciones posibles de la palabra "muerte". Sin embargo, como se ve después hacia el final de la historia, la palabra "sacrificio" es esencial en lo que se narra. Hay entonces una tercera muerte (aunque después nos enteraremos de que en realidad ésta es una muerte fraguada). La "víctima" es un hombre que va entre dos arlequines enmascarados. Se dice:

> "Dos veces tropezó; dos veces lo sujetaron los arlequines. Rumbo a la dársena inmediata, de agua rectangular, los tres subieron al cupé y desaparecieron. Ya en el estribo del cupé, el último arlequín garabateó una figura obscena y una sentencia en una de las pizarras de la recova".

La sentencia era "La última de las letras del Nombre ha sido articulada". La última. O sea que en principio parecería que la serie de crímenes se detiene ahí: tres crímenes, el día tres.

El detective de la realidad, Treviranus, desconfía.

> "—¿Y si la historia de esta noche fuera un simulacro?"

Borges, como se ve, juega limpio hasta el final: la historia *es* un simulacro y el detective de lo real lo descubre.

Pero uno, el lector, ya está atrapado en la lógica ficcional, ya sabe que algo más va a ocurrir. Justamente, la segunda lógica de la ficción ya contaminó el relato. Y uno ¿qué presiente? Como en cualquier relato policial clásico, presiente que es Lönnrot el que dará la explicación definitiva y que el detective de lo real siempre será más torpe. Borges juega con esa relación de superioridad largamente construida en miles de relatos policiales. Entonces aquí Lönnrot desliza el primer detalle que puede servir al lector para reconstruir toda la historia: el detalle sobre el comienzo del día hebreo.

"El día hebreo empieza al anochecer y dura hasta el siguiente anochecer."

Esto le da una lógica distinta al tema del tres en las fechas de las muertes: el tres se transforma en cuatro si está cerca de la noche.

"El otro ensayó con ironía.
—¿Ese dato es el más valioso que usted ha recogido esa noche?
—No. Más valiosa es una palabra que dijo Ginzberg."

Esa palabra es "sacrificio". ¿Qué ocurre después? En la continuación de la trama, Treviranus recibe una carta con la primera solución, la solución "falsa" de la serie.

"La carta profetizaba que el 3 de marzo no habría un cuarto crimen, pues la pinturería del Oeste, la taberna de la Rue de Toulon y el Hôtel du Nord eran «los vértices perfectos de un triángulo equilátero y místico»". Así, la primera "solución" del enigma es el triángulo equilátero.

"Erik Lönnrot las estudió. Los tres lugares, en efecto, eran equidistantes. Simetría en el tiempo (3 de diciembre, 3 de enero, 3 de febrero); simetría en el espacio, también… Sintió, de pronto, que estaba por descifrar el misterio. Un compás y una brújula completaron esa brusca intuición. Sonrió, pronunció la palabra *Tetragrámaton* (de adquisición reciente) y llamó por teléfono al comisario. Le dijo:
—Gracias por ese triángulo equilátero que usted anoche me mandó. Me ha permitido resolver el problema.

Mañana viernes los criminales estarán en la cárcel; podemos estar muy tranquilos.

—Entonces ¿no planean un cuarto crimen?

—Precisamente porque planean un cuarto crimen, podemos estar muy tranquilos."

Bien. Y por supuesto la solución verdadera es la que tiene que ver con el nombre de Dios en hebreo, JHVH (o YHVH), que tiene cuatro letras. Y en realidad la figura a completar indicará el lugar donde Scharlach emboscará a Lönnrot. Es decir, lo que hace Lönnrot es completar a partir del triángulo la figura del rombo para determinar un cuarto punto, sin saber que en ese punto lo está esperando Scharlach para asesinarlo. El enigma es una trampa, un *laberinto* (Borges lo dice de esta forma). Norte, Este, Oeste son los tres puntos en la ciudad que le sirven para fijar con la brújula y el compás el cuarto punto en el sur, donde lo espera su propia muerte. Porque Scharlach tiene una cuenta pendiente con Lönnrot, esto es algo que los lectores no saben, es parte de lo que revela Scharlach en la explicación final. Leo ese monólogo, cuando se encuentra en Triste-le-Roy frente a frente con Lönnrot:

"En esas noches yo juré por el dios que ve con dos caras y por todos los dioses de la fiebre y de los espejos tejer un laberinto en torno del hombre que había encarcelado a mi hermano. Lo he tejido y es firme: los materiales son un heresiólogo muerto, una brújula, una secta del siglo XVIII, una palabra griega, un puñal, los rombos de una pinturería.

El primer término de la serie me fue dado por el azar. Yo había tramado con algunos colegas —entre ellos, Daniel Azevedo— el robo de los zafiros del Tetrarca. Azevedo nos traicionó: se emborrachó con el dinero que le habíamos adelantado y acometió la empresa el día antes. En el enorme hotel se perdió; hacia las dos de la mañana irrumpió en el dormitorio de Yarmolinsky. Éste acosado por el insomnio, se había puesto a escribir. Verosímilmente, redactaba unas notas o un artículo sobre el Nombre de Dios; había escrito ya las palabras: *La primera letra del Nombre ha sido articulada.* Azevedo le intimó silencio; Yarmolinsky alargó la mano hacia el timbre que despertaría todas las fuerzas del hotel; Azevedo le dio una sola puñalada en el pecho. Fue casi un movimiento reflejo; medio siglo de violencia le había enseñado que lo más fácil y seguro es matar..."

El primer crimen se inscribe dentro de lo real, es un accidente, tal y como lo había previsto Treviranus. Y aquí aparece el deslizamiento, la transición a la lógica ficcional:

"A los diez días yo supe por la *Yidische Zaitung* que usted buscaba en los escritos de Yarmolinsky la clave de la muerte de Yarmolinsky. Leí la *Historia de la secta de los Hasidim*; supe que el miedo reverente de pronunciar el Nombre de Dios había originado la doctrina de que ese Nombre es todopoderoso y recóndito. Supe que algunos Hasidim, en busca de ese Nombre secreto, habían llegado a cometer sacrificios humanos... Comprendí que usted conjeturaba que los Hasidim habían sacrificado al rabino; me dediqué a justificar esa conjetura".

Es decir, un golpe de azar, el crimen impremeditado de Yarmolinsky, le da inesperadamente a Scharlach la posibilidad de atraer a Lönnrot a una trampa. Entonces, a partir de ese momento, sobre esa primera muerte que le depara el azar, Scharlach arma su serie teniendo en cuenta *qué es lo que el detective quiere encontrar*. Ésta es la modulación interesante del relato a la que me refería y que ya está en una de las primeras novelas de Agatha Christie: "Asesinato en el campo de golf". Es una novela en la que Agatha Christie libra una pequeña batalla contra Conan Doyle y contrapone la figura de su detective psicológico Hércules Poirot con un detective francés, Giraud, que remeda los métodos de Sherlock Holmes. Inventa a un detective que actúa y procede como Sherlock Holmes, que husmea, se pone en cuatro patas para revisar colillas y huellas en el césped, todo ese tipo de cosas. Digamos, lo ridiculiza a Sherlock Holmes. Y justamente, el rasgo de astucia en esa novela es que el criminal va dejando pequeños rastros para que los encuentre esta clase de detective. El criminal se amolda al detective. El criminal penetra la teoría y los dos planos se confunden. Aquí ocurre exactamente lo mismo, por eso digo que en este relato conviven los dos planos: el plano de lo real y el plano de lo ficcional. Porque el criminal introduce en la realidad los elementos gratos a la búsqueda del detective. Convierte lo que es ficcional e "interesante" en teoría para Lönnrot en crímenes reales.

Bien, y aquí digo otra vez algo que provocó algún sobresalto el año pasado cuando di por primera vez las charlas: a mí no me termina de convencer el diálogo final del cuento. El final dice:

> "Lönnrot consideró por última vez el problema de las muertes simétricas y periódicas.
> —En su laberinto sobran tres líneas —dijo por fin—. Yo sé de un laberinto griego que es una línea única, recta. En esa línea se han perdido tantos filósofos que bien puede perderse un mero *detective*. Scharlach, cuando en otro avatar usted me dé caza, finja (o cometa) un crimen en A, luego un segundo crimen en B, a 8 kilómetros de A, luego un tercer crimen en C, a 4 kilómetros de A y de B, a mitad de camino entre los dos. Aguárdeme después en D, a 2 kilómetros de A y de C, de nuevo a mitad de camino. Máteme en D, como ahora va a matarme en Triste-le-Roy".

Esta variación, este doble final, no me convence ni desde el punto de vista literario ni desde el punto de vista matemático. Desde el punto de vista literario porque me parece que se pierde algo del dramatismo del final con esta explicación demasiado sofisticada. Para mí, este refinamiento teórico queda fuera de la atmósfera y del ritmo de la acción. Pero, sobre todo, creo que aquí no se verifica lo que Proust hubiera llamado la regla de los tres adjetivos. Aparentemente en una época se puso de moda en París proferir en señal de admiración tres adjetivos, pero eso requiere, por supuesto, una cierta gradación, el tercer adjetivo tiene que superar a los otros dos. A mí me parece que la trampa geométrica que plantea como alternativa Borges en este remate no es tan nítida, no es tan clara como la imagen gráfica del rombo con los cuatro puntos cardinales. Voy a explicar por qué. Repito aquí el dibujo que corresponde a la explicación de Lönnrot que acabamos de leer, es el mismo dibujo que Borges traza a un costado de su manuscrito en el original.

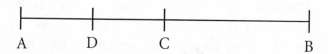

Recuerden que la serie tiene que ser como una trampa que lleve necesariamente al investigador al cuarto punto. Borges dice:

> "Finja (o cometa) un crimen en A, luego un segundo crimen en B, a 8 kilómetros de A, luego un tercer crimen en C, a 4 kilómetros de A y B".

O sea, en una línea recta imaginaria nuestro detective va primero a este punto A, después camina hasta B, después retrocede hasta C. Ése es el recorrido de acuerdo al orden en que se cometen los crímenes. Dice ahora Lönnrot:

> "Aguárdeme después en D, a dos kilómetros de A y de C, de nuevo a mitad de camino. Máteme en D, como ahora va a matarme en Triste-le-Roy".

De esta manera, D sería el cuarto punto imaginario, el recorrido sería A, B, C, D. Por supuesto que esto tiene que ver con una de las ideas favoritas de Borges que es la paradoja de Aquiles y la tortuga. Por eso menciona: "un laberinto griego que es una línea única, recta". Es una idea con mucho prestigio pero no es efectiva para este propósito. De acuerdo con los tres datos iniciales: los puntos A, B y C, ¿por qué Lönnrot tendría que ir a D y no a D' por ejemplo, o a D"?

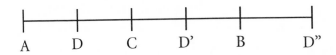

Lo que trato de decir es que el punto D que menciona Lönnrot no está unívocamente, lógicamente determinado por los tres puntos anteriores. O sea, ¿qué es lo que hace preferencial a este punto en principio? Nada. Hay aquí por debajo un tema más profundo que estudió Wittgenstein y que tiene que ver con las series lógicas en general. Digamos, que hay que tener un poco de cuidado con el tema de la unicidad de las soluciones. A Borges le parece, porque tiene presente la paradoja de Aquiles y la tortuga, que el punto D como cuarto punto en esta línea es tan obvio, tan fatal, tan inevitable, como el punto sur una vez que nos han dado los otros tres puntos cardinales. Pero D no es tan claro: recorro 8 kilómetros para llegar a B, después retrocedo 4 para llegar a C. Podría ser que el movimiento fuera avanzar 8 retroceder 4, avanzar 8 retroceder 4. O avanzar 8, retroceder 4, avanzar 2 retroceder 1, etc.; o cualquier otra posibilidad que a ustedes se les ocurra. Hay muchas continuaciones igualmente "lógicas". Entonces me parece que este agregado le hace perder nitidez al final, que ya tenía lo suficiente: Lönnrot llega al cuarto punto, se explica el sentido de la serie, y lo matan.

Bien, yo quería leer un cuento más en este mismo sentido, volver a "El Aleph", mirándolo desde este punto de vista de la "construcción", pero me parece que ya se nos acabó el tiempo. De todas maneras lo que pensaba decir sobre "El Aleph" está en un artículo que apareció en *Clarín* en el centenario del nacimiento de Borges. Se llama "Un regreso a «El Aleph»" y lo pueden ver también *on line* en la página www.guillermomartinez.8m.net, donde están reunidos todos mis artículos. Apareció también en la revista literaria del Malba, www.elhilodeariadna.com.ar. Pasemos entonces a las preguntas.

Preguntas

Auditorio 1: Sobre la serie de puntos, la que propone Borges quizá no es la única posible, pero sí parece la más inmediata, es la que corresponde a: 1, $^1/_2$, $^1/_4$.

Guillermo Martínez: Bueno, quizá le parece la más inmediata porque la plantea él.

Auditorio 1: Es la que se le ocurriría a uno más naturalmente antes de buscar otra.

G.M.: Lo que traté de explicar es que eso depende de cómo lea uno los puntos. Pensemos en una situación real en la que aparece una persona muerta en A. Lo único que podemos saber en principio es que aparece una persona muerta en este punto. Después aparece una segunda persona muerta en este punto B, después aparece otra en este punto C. Eso es lo que se sabe.

Auditorio 1: B es 1, C es $^1/_2$. Entonces ir a D' sería ir de 1 a $^1/_2$ a $^3/_4$ que no parece tan atractivo.

G.M.: Pero depende de cómo "lea" la serie. Las series, como usted sabe, pueden ser muy diferentes entre sí. La serie puede ser, como diría Lenin, un paso adelante dos pasos atrás. ¿Por qué no? Un paso adelante medio paso atrás, un paso adelante medio paso atrás. No hay ninguna razón privilegiada en principio.

Auditorio 1: No, no. Estoy de acuerdo pero es más rebuscado.

G.M.: No sé. A mí la idea de que voy de A a B y después empiezo a volver a A y nunca retomo este movimiento de avance no me parece tan evidente. O sea, avanzo, retrocedo y después siempre retrocedo, tampoco me parece tan evidente. Obviamente todo es evidente una vez que uno da la suficiente cantidad de explicaciones. Lo que quiero decir es que no hay unicidad clara. En la primera serie, la de los puntos cardinales, toda la construcción del relato determina la unicidad del cuarto punto. La unicidad está construida con los elementos del rombo, de los puntos cardinales, etc. Si no, tampoco el punto al sur sería una solución tan obvia.

Auditorio 1: Sí, sí. Está bien. Yo me refería a la salida que a un lector…

G.M.: A un lector de Borges también puede parecerle evidente, estoy de acuerdo. Pero a un lector matemático…

Auditorio 1: Le gusta más complicado.

G.M.: No. Un lector de Borges posiblemente tenga también muy presente el tema de la paradoja de Aquiles y la tortuga, etc., entonces inmediatamente lee eso. Borges evidentemente no pensaba en otra cosa, no pensó en otra posibilidad.

Auditorio 2: Un final complejo, muy intelectualizado y muy largo. Muy diferente de otras muertes en otros cuentos de Borges, eso es cierto. Pero el hecho de que acá la víctima sea el mismo detective ¿no sería congruente con ese final? A mí el final me sonó largo, me sonó discursivo, pero me pareció lógico porque el detective es el asesinado. La víctima es justamente quien está buscando al asesino.

G.M.: Totalmente, comparto eso: está muy bien dentro del cuento que el detective muera, que el último crimen sea el del detective. Lo que estoy diciendo es que yo como lector hubiera preferido que omitiera esta segunda explicación. Me parece que lo lleva a una discusión matemática con un matón de suburbio. Incluso el lenguaje que utiliza Scharlach es extraño, habla casi como Borges. A pesar de que Borges es consciente de la diferencia de educación porque, justamente, hace todo ese despliegue inicial, edita una edición popular de la historia de la secta exclusivamente para Scharlach, etc. Por un lado tiene en cuenta que Scharlach es un matón de un suburbio. Y sin embargo, cuando llega el momento de hablar, Scharlach se contamina de un tono, creo yo, demasiado intelectual.

Auditorio 2: Claro, pero la discusión intelectual muestra que este Scharlach no era un malevo cualquiera. Las dos caras de Jano, todo lo que describe antes sobre el jardín, etc. Para no hacerlo muy largo, tendría cierta lógica este final con todo lo anterior que viene en el relato.

G.M.: Por supuesto: siempre voy a estar en minoría con esto que estoy diciendo, de eso soy totalmente consciente. Borges tiene un ensayo sobre los clásicos en donde trata de definir qué es un clásico, y dice que clásico es aquel libro o autor que los pueblos o naciones han decidido leer con previo fervor y una misteriosa lealtad. Con previo fervor y una misteriosa lealtad. Yo creo que Borges ha logrado exactamente eso: que se lo lea con una devoción que impide muchas veces la posibilidad de pensar que podía dejar cabos sueltos o que algunas cosas eran apenas chistes privados. O sea, se lo lee a Borges como los cabalistas leen la Biblia, creyendo que todas las relaciones están allí y que si no las vemos es porque no hemos pensado lo suficiente, o no tenemos la fe suficiente, que nada sobra, que nada falta, que todo puede ser interpretado, que todo tiene una razón de ser. Yo no creo que eso sea así, pero sí creo que Borges tiene algo prodigioso, que es con lo que yo quería terminar si hubiera tenido tiempo, y es que logra que su literatura dé esta ilusión. Digamos: si la literatura fuera un objeto recursivo, Borges podría aspirar a ser la parte que equivale al todo. Y en efecto, mucha gente cree que leyendo a Borges lee toda la literatura. Hay gente que dice incluso con orgullo, un orgullo con el que creen demostrar su exigencia intelectual: "yo *solamente* leo a Borges", como si hubieran probado el plato más delicado y ya no pudieran alimentarse de otro modo. Pero, después de sonreírnos un poco de estas personas, tenemos que reconocer que Borges logra lo que Piglia llama el microcosmos de la literatura. Tiene operaciones de síntesis extraordinarias. Y lo consigue, pienso yo, de esta manera que intenté explicar: suministra ejemplos esenciales, críticos, y uno tiene la sensación de que sus historias generan todas las variantes posibles o son síntesis de todas las variantes posibles. Éste es el inmenso logro literario de Borges. Y aún así, ¡pienso que en este dibujo el punto D no es tan claro! (*risas y aplausos finales*).

Obras citadas

AA.VV.: *Borges y la ciencia*, Buenos Aires, Colección CEA, Eudeba, 1999.

Borges, Jorge Luis: *Obras completas*, Buenos Aires, Emecé, 1974.

—— *Prólogos con un prólogo de prólogos*, Madrid, Alianza, 1995.

—— *Textos recobrados 1931-1955*, Buenos Aires, Emecé, 2001.

Eves, Howard: *An Introduction to the History of Mathematics*, Filadelfia, Saunders College Publishing, 1983.

Kasner, Edward, y Newman, James: *Matemáticas e imaginación*, Buenos Aires, Hyspamérica, Jorge Luis Borges, Biblioteca Personal.

Piglia, Ricardo: *Crítica y ficción*, Buenos Aires, Fausto, 1993.

Sacks, Oliver: *El hombre que confundió a su mujer con un sombrero*, Barcelona, Anagrama, 2003.

El golem y la inteligencia artificial[*]

Aunque no está claro todavía si realmente existe algo que podamos llamar con propiedad *inteligencia artificial* (más allá de posibles y convincentes simulaciones), por los milagros de la teorización los especialistas ya hablan de una edad antigua y una edad moderna en esta búsqueda. En la era "antigua" se intentaba modelar a la inteligencia como un algoritmo separado de lo corpóreo, un gigantesco programa para una computadora ideal. En la época "moderna" se intenta "encarnar" a la inteligencia en un contexto orgánico-espacial a través de robots, los nuevos golem.

Yo quisiera recordar aquí algunos versos del poema de Borges sobre el rabí de Praga y su criatura y comentar desde esta lectura distintas afirmaciones sobre esta distinción.

En una de las primeras estrofas de "El Golem" Borges dice:

Y, hecho de consonantes y vocales,
habrá un terrible Nombre, que la esencia

---

* Fragmento de una exposición en el encuentro multidisciplinario "Proyecto Golem" en conjunto con la República Checa, Museo de Bellas Artes, octubre de 2003.

cifre de Dios y que la Omnipotencia
guarde en letras y sílabas cabales.

Éste es un tema que Borges trata también en el cuento "La escritura del dios". En ese relato un sacerdote está encerrado en un pozo junto con un jaguar. Una vez por día, cuando se abre en lo alto una trampa por donde le dan de comer, el sacerdote puede ver las manchas del jaguar y descubre finalmente que en la configuración de esas manchas está cifrada la sentencia mágica escrita por el dios, una frase de catorce palabras que implica el universo entero. La pronunciación de esas palabras le daría al sacerdote la suma de los poderes, lo convertiría a él mismo en el dios. Es una variación de una creencia cabalista que Borges ha repetido varias veces, la idea de que la manipulación sintáctica, la mera combinación y pronunciación de unos símbolos, permite generar vida. Es no sólo el procedimiento del rabí de Praga sino también el de algunos relatos de creación prebíblicos, y se corresponde perfectamente con lo que se ha dado en llamar la edad antigua, la inteligencia artificial sin encarnación, porque un programa no es al fin y al cabo más que un fragmento de lenguaje, un puñado de órdenes y palabras.

A continuación hay otra estrofa que dice:

El rabí le explicaba el universo
"Esto es mi pie; esto el tuyo; esto la soga"
y logró, al cabo de años, que el perverso
barriera bien o mal la sinagoga.

Podemos comparar aquí, con respecto a la imagen tradicional y ominosa del Golem que crece desmesuradamente, la mirada irónica, condescendiente, de Borges en este poema. El Golem, más cercano a su etimología, como algo amorfo que no llega a realizarse totalmente y al que su hacedor se resigna: "logró al cabo de años que el perverso barriera bien o mal la sinagoga". (*Perverso* tiene el significado aquí de "contrariado en su naturaleza", sin ninguna connotación de maldad.) No sé si la robótica llegó ya a la instancia de barrer *bien bien* la sinagoga, eso también habría que verificarlo. Pero a lo que quería referirme en este verso es a la línea: "Esto es mi pie, esto el tuyo". Esta enseñanza, la pertenencia del propio cuerpo, quizá la más básica, tiene que ver con el sentido de *propiocepción*, uno de los sentidos implícitos, de los que no somos conscientes. Tenemos los cinco sentidos que reconocemos y otros, más ocultos, que nos hacen funcionar como un todo integrado y que en ocasión de una lesión cerebral (como los casos que trata Oliver Sacks en *El hombre que confundió a su mujer con un sombrero*) pueden perderse o dislocarse. Puede ocurrir que dejemos de sentir a un miembro como nuestro. Hay casos de pacientes que se caen de la cama al tratar de sacar un pie propio que creen que está ahí puesto, suelto, como una broma por alguien. Estos sentidos "detrás de los sentidos" deberían también considerarse, supongo, a la hora de articular la inteligencia con una encarnación física.

La ironía de Borges vuelve, más marcada, en una estrofa posterior:

Tal vez hubo un error en la grafía
o en la articulación del Sacro Nombre;
a pesar de tan alta hechicería,
no aprendió a hablar el aprendiz de hombre.

Esta mirada algo despectiva sobre los "aprendices de hechiceros", ya sean rabinos, alquimistas o científicos, es algo que en la literatura es muy común. De algún modo, está aquí el choque de las dos culturas: humanística versus científica. En la literatura (salvo en el género específico de la ciencia ficción) todo intento científico se trata como algo condenado a fallar. El ejemplo prototípico es, por supuesto, *Frankenstein*, en que el monstruo se vuelve contra su creador. Si la imagen del Golem puede parecer algo ominosa, la criatura de Shelley, como símbolo para dar título a un encuentro de robótica, sería todavía menos simpática. Y sin embargo, no están tan lejanas: *Frankenstein*, de Mary Shelley, lleva como subtítulo: "El moderno Prometeo". Y justamente, el Golem está vinculado también con la idea de Prometeo de darle al hombre todos los atributos divinos (más aún, aparentemente el mito de Prometeo tiene un origen común con el de Adán y la modelación de hombres de arcilla).

Ahora me quiero referir al tema de las limitaciones o posibles limitaciones de la inteligencia artificial, que tiene que ver con la última estrofa del poema de Borges. Veremos un mecanismo que Borges ha perfeccionado y ha repetido y que es particularmente significativo en este contexto. El rabino reflexiona sobre su creación, sobre ese hijo un poco tonto que le salió. Dice:

En la hora de angustia y de luz vaga,
en su Golem los ojos detenía.
¿Quién nos dirá las cosas que sentía
Dios, al mirar a su rabino en Praga?

Éste es un procedimiento muy frecuente en Borges, yo lo llamaría "el paso atrás", lo hace también por ejemplo en el cuento "Las ruinas circulares". A último momento el hombre que entra en el fuego no se quema porque es también el sueño de otro creador más alto. Ese paso atrás de la razón, creo yo, es uno de los atributos fundamentales del ser humano, en el fondo eso es lo que está detrás del teorema de Gödel. En efecto, Kurt Gödel, antes que Turing, fue quien primero se dio cuenta de la limitación intrínseca de todos los sistemas formales (que es, bien mirado, un problema de limitación del lenguaje). Una vez que uno fija las reglas de juego sintácticas y lógicas de un sistema formal, una vez que uno encuentra la forma de modelar un algoritmo y lo percibe separadamente como objeto de estudio, de algún modo puede dar también ese "paso atrás" y formular una pregunta que esté más allá de los alcances de ese sistema. Es la idea que recoge luego Roger Penrose en el libro *The Emperor's New Mind* como base de su argumentación en contra de la posibilidad de existencia de inteligencia artificial. Penrose observa que el teorema de Gödel nos permite exhibir una proposición verdadera, una proposición que *sabemos* verdadera, pero cuya verdad está fuera del alcance de los mecanismos de corroboración de la computadora. Esto muestra la brecha que hay entre la verdad y la parte *demostrable*, o corroborable, de la verdad. Creo yo que es exactamente el mecanismo de estos dos versos. Borges lo logra, como se hace en poesía, por la magia antigua de "simpatías" de la analogía, o sea, él nos muestra a un rabino que trata infructuosamente de educar a su criatura y luego da un paso atrás y somos de pronto nosotros la criatura de un creador más alto que también se está esforzando... por ahora sin demasiados resultados.

El cuento como sistema lógico[*]

Hay elementos en la estructura del cuento —posiblemente la brevedad, la rigurosidad— que llevan fácilmente a la tentación de enunciar reglas para el género y a imaginar posibles clasificaciones y decálogos. La suerte común que corren estos intentos es que o bien son demasiado vagos y generales como para tener algún interés o bien dejan escapar, cualquiera sea la cantidad de axiomas considerados y de precauciones tomadas, un exponente de cuento perfectamente legítimo y admirable que se burla de la ley. Y de la misma manera que en el libro *Las cien formas de decir NO a la prueba de amor* la respuesta número cien es SÍ, en todo decálogo del cuento la máxima número diez parece condenada a ser, como sugirió Abelardo Castillo: no tomen las nueve anteriores demasiado en serio.

Esta insuficiencia de todos los intentos de formalización puede conducir a la opinión teórica rápida y aliviada de que no hay en realidad preceptos a tener en cuenta a la hora de acometer un cuento. Y sin embargo —y esto lo sabe cualquiera que se haya puesto seriamente a prueba— a poco de empezar se descubre que

[*] Publicado en *V de Vian*, Nº 32, febrero de 1998, y en *Vox*, 1998.

las leyes que uno creyó haber echado por la puerta volvieron por la ventana. Son leyes escurridizas, intangibles, que se reconocen en ejemplos particulares pero no se dejan abstraer con mucha generalidad ni enunciar fácilmente. Menciono dos que me parecen particularmente profundas. La primera la sugiere Borges por oposición en un párrafo en el que trata de establecer la distinción entre cuento y novela. Borges pasa por alto la diferencia más inmediata y superficial de la extensión y observa que lo que caracteriza a la novela, por sobre todo, es la evolución de los personajes. En los cuentos lo primordial es la trama, los personajes sólo tienen importancia como nodos de esa trama y pierden, por lo tanto, grados de libertad.

La segunda la enuncia Ricardo Piglia en sus "Tesis sobre el cuento", en un artículo aparecido en *Clarín* hace algunos años.[1] Dice allí que todo cuento es la articulación de dos historias, una que se cuenta sobre la superficie y otra subterránea, secreta, que el escritor hace emerger de a poco durante el transcurso del cuento y sólo termina de revelar por completo en el final. Esta idea coincide con la imagen más frecuente que tengo yo del cuentista: un ilusionista que desvía la atención del público con una de sus manos mientras realiza su acto de magia con la otra. Un mérito adicional de esta aproximación es que permite mirar al cuento no como un objeto terminado, listo para los desarmaderos de los críticos, sino como un proceso vivo, desde su formación.

1. Recogido en *Crítica y ficción*, de Ricardo Piglia, Fausto, 1993.

Una ligera variación sobre esta idea permite pensar al cuento como un sistema lógico. La palabra "lógica", deslizada en un contexto artístico, no debería provocar necesariamente sobresaltos: la lógica —que no debe confundirse con los rígidos silogismos del secundario ni con el fragmento binario que usa la matemática— ha probado ser una materia muy maleable. Desde el momento histórico en que el joven estudiante Lobachevsky, a principios de 1800, niega el quinto postulado de la geometría euclidiana creyendo que llegará a un absurdo y se asoma en cambio a un nuevo mundo geométrico, perfectamente extraño, pero perfectamente consistente, una revolución silenciosa estalla en el pensamiento humano. Desde entonces, diferentes disciplinas y ramas del pensamiento se han dado su propia lógica. Así, el Derecho formaliza y trata de automatizar sus criterios de evidencia y validez, la matemática empieza a razonar con lógicas polivalentes, la psiquiatría hace ensayos para modelar la lógica de la esquizofrenia y los lavarropas incorporan la lógica difusa.

¿Qué es en definitiva un sistema lógico? Es un conjunto de presupuestos iniciales y una serie de reglas de deducción —pueden pensarse como reglas de juego— que permiten pasar con "legitimidad" de los presupuestos iniciales a enunciados nuevos. La variedad y diversidad de las lógicas depende fundamentalmente de las reglas de deducción elegidas. En la lógica intuicionista, por ejemplo, no se admiten las demostraciones por reducción al absurdo, y en la lógica trivalente, se puede afirmar y negar a la vez sin escándalo una misma proposición.

Mirados de cerca, también los cuentos operan y proceden dentro de este esquema. En efecto, todo cuento empieza, igual que las películas de terror, creando una ilusión de cierta normalidad, en el estado —digamos— del sentido común. Pero, desde el principio, por definición, este estado está amenazado veladamente, dentro del pacto tácito entre el autor y el lector de que "algo va a pasar". Las primeras informaciones, que pueden parecer casuales, son aceptadas dentro de ese contexto de normalidad. Es decir, al principio del cuento la lógica de la ficción coincide —o quizá deba decir se disimula— bajo la lógica usual del sentido común.

En nuestro esquema los presupuestos iniciales son estas primeras informaciones que se disponen como las piezas de ajedrez sobre un tablero al principio de la partida. Pero por supuesto estos datos iniciales, que para el lector pueden parecer más o menos intercambiables o aleatorios, no son cualesquiera para el escritor: lo que es contingente en la lógica inicial es necesario en la lógica de la ficción; le hacen falta al escritor en uno u otro sentido para un segundo orden que por el momento sólo él conoce. Este segundo orden está regido por otra lógica y todo el acto de prestidigitación —el juego de manos del cuentista— consiste en la transmutación y en la sustitución de la lógica inicial de la normalidad por esta segunda lógica ficcional que se va adueñando poco a poco de la escena y a partir de la cual debe deducirse el final —si las cosas han salido bien— como una fatalidad y no como una sorpresa. De este modo, la idea de Piglia de las dos historias puede sustituirse por la idea —menos exigente y, por eso, más general— de dos órdenes lógicos posibles o, más precisamente, de una lógica única que se desdobla en dos en el transcurso del cuento.

Hablé hasta aquí del escritor como un manipulador de lógicas más o menos astuto; pero también —a veces— el escritor es un artista. No hace mucho —y para volver a la imagen del ilusionista— vi en un programa de televisión a un viejo mago argentino al que le falta una mano, haciendo un show con cartas en Las Vegas. Estaba sentado en una mesa, con su única mano desnuda extendida sobre el tapete verde y rodeado completamente de personas que vigilaban desde todos los ángulos su rutina. La prueba era simple. Arrojaba de a una, boca arriba, seis cartas sobre la mesa, con los colores intercalados: rojo-negro, rojo-negro, rojo-negro. Las recogía tal como habían quedado y cuando volvía a arrojarlas los colores se habían juntado: rojo-rojo-rojo, negro-negro-negro. *No puede hacerse más lento*, decía entonces. *O quizá sí… quizá pueda hacerse más lento.* Arrojaba entonces otra vez las cartas, más despaciosamente: rojo, negro, rojo, negro, rojo, negro. Las recogía, y los colores habían vuelto a juntarse: rojo-rojo-rojo, negro-negro-negro. Y entonces se sonreía para sí y repetía otra vez esa frase: *No puede hacerse más lento… o quizá sí, quizá pueda hacerse más lento.* Éste sería entre los escritores el artista: un ilusionista con una sola mano que siempre puede decir, bajo todos los ojos: o quizá sí, quizá pueda hacerse más lento.

Un margen demasiado exiguo[*]

Un hombre se inclina en la noche sobre un libro. Es un funcionario judicial de alto rango en la Francia del siglo XVII, que filtra las peticiones al rey y puede enviar a la hoguera a los acusados. Su nombre es Pierre Fermat. Por la gravead de sus funciones y para evitar sobornos o favoritismos se le impide tener vida social; pero esto, lejos le preocuparlo, le permite dedicarse a una pasión secreta por los números y pasa las noches haciendo anotaciones en los márgenes de su ejemplar de la *Aritmética*, de Diofantes.

En una de las páginas figura la ecuación milenaria de Pitágoras sobre los triángulos rectángulos, que establece que el cuadrado de la hipotenusa es igual a la suma de los cuadrados de los catetos. También aparece el método para hallar triángulos con los tres lados enteros: la terna 3, 4, 5 es sólo la primera de una serie infinita de soluciones enteras, que la hermandad de los pitagóricos guardaba con celo. Fermat se pregunta si estas soluciones enteras todavía podrían hallarse si el exponente 2 de esa ecuación se reemplaza por un número

*Publicado con el título "La fórmula de la inmortalidad", *Clarín*, 1º de agosto de 1999. Sobre *El último teorema de Fermat*, de Simon Singh, Norma, 1999.

mayor. Alrededor de 1667, en otra de estas noches idénticas, escribe en el margen de la página su conclusión negativa: "No es posible, si n es mayor que 2, encontrar una solución entera de la ecuación $z^n = x^n + y^n$".

A continuación agrega un comentario que habría de cambiar la historia de la matemática: "He hallado una demostración verdaderamente admirable de este hecho, pero este margen es demasiado exiguo para contenerla".

Fermat muere treinta años después y su hijo, que presentía la importancia de estos trabajos nocturnos, publica la *Aritmética* con todas las anotaciones. Los matemáticos de la época se encuentran con una multitud de afirmaciones y conjeturas, pero raramente con indicios para probarlas. Durante toda su vida Fermat, "ese fanfarrón", "ese maldito francés", había preferido reservarse las demostraciones para desafiar por carta a los matemáticos ingleses a rehacerlas. Aun así se va probando, con las técnicas elementales de aquel tiempo, que una por una todas las afirmaciones de Fermat son verdaderas. Pero la ecuación generalizada de Pitágoras, como un último desafío, resiste todos los intentos y nadie puede reconstruir la demostración "verdaderamente admirable" que anunciaba Fermat. Euler, el genio más grande del siglo, apenas puede probar el caso $n = 3$ y pide con desesperación al hijo de Fermat que revise entre los papeles que ha dejado su padre en busca de alguna otra huella.

De generación en generación, con penosos esfuerzos y técnicas cada vez más sofisticadas, se prueban más casos particulares, pero la demostración del caso general sólo parece alejarse con cada nuevo intento. Para entender esto, se debe recordar que la forma de razonar de los matemáticos es algo diferente de la del resto de los científicos. Es conocida la anécdota de Stewart sobre un ingeniero, un físico y un matemático que, de viaje en tren, entran en Escocia y ven en medio de un campo una oveja negra. "Qué curioso", observa el ingeniero, "en Escocia las ovejas son negras". "No", protesta el físico, "en Escocia *algunas* ovejas son negras". "No, no", corrige el matemático con paciencia, "en Escocia hay al menos un campo que tiene al menos una oveja *cuyo único lado visible desde el tren* es negro".

En efecto, los matemáticos son cuidadosos en sus afirmaciones y un número cualquiera de casos particulares en favor de una conjetura no basta para establecer una prueba general. Peor aún, los casos particulares resueltos iban mostrando la enorme complejidad que requeriría una demostración global, lo que empezó a sembrar la duda de que Fermat hubiera tenido realmente una demostración "admirable" y relativamente breve. En 1847, en medio de una batalla entre Cauchy y Lamé, que creían haber llegado ambos a una solución, un trabajo fundamental de Kummer mostró que el teorema de Fermat estaba irremediablemente fuera del alcance de todas las líneas de ataque conocidas, y que se requeriría en todo caso alguna idea esencialmente nueva, más allá del álgebra tradicional. Así, a principios del siglo XX, los matemáticos serios habían dado la causa por perdida: ninguno estaba dispuesto a dedicar su carrera a un problema que, si siempre había parecido difícil, Kummer lo había vuelto a dejar a oscuras. Trescientos años después de haberse enunciado, el último teorema de Fermat se había convertido en un mito inaccesible, el paradigma de lo que los matemáticos consideran un problema "intratable". Y, sin embargo, la parte más apasionante de la historia todavía estaba por venir.

Con la astucia de un novelista, Simon Singh —doctor en física del Imperial College y asesor científico del programa *Horizon*, de la BBC— ha escrito un libro fascinante, sobre una de las más grandes hazañas del pensamiento contemporáneo, sólo comparable quizá a la formulación de Einstein de la teoría de la relatividad. *El último teorema de Fermat* no es sin embargo, como se podría temer, un libro de matemática. Con un equilibrio siempre piadoso, Singh logra, sin perder rigor, transmitir los desvelos y el laberinto de pasiones que hay detrás de cada fórmula exacta y entrecruza, en su recorrido, los cuadros más vívidos de la historia de la matemática, desde el final dramático de la escuela de Pitágoras hasta la trampa político-amorosa que conduce a Galois a un duelo a muerte con el mejor tirador de Francia, desde el disfraz de hombre de Sophie de Germain para ser admitida en las universidades hasta la novela de espionaje de Alan Turing, que quiebra los códigos nazis de la máquina Enigma y muere después de la guerra, perseguido por su homosexualidad y envenenado con una manzana. Es también excelente el capítulo sobre el estupor y la crisis filosófica que causan la paradoja de Russell y los teoremas de incompletitud de Gödel.

El suicida afortunado

En la línea principal de la historia, hay a principios del siglo XX un paso inesperado de comedia que le da nueva vida al problema. Paul Wolfskehl, el hijo de una familia de industriales alemanes, con una gran fortuna propia, era también aficionado a la matemática, y uno de los tantos que había intentado suerte con el teorema. En algún momento de su juventud se obsesionó con una mujer muy hermosa, que lo rechazó. El joven Wolfskehl, desesperado, planeó suicidarse, con un tiro en la cabeza que se daría estrictamente a medianoche. Pero como después de hacer todos los preparativos le sobraba todavía algún tiempo, volvió a abrir su libro de matemática con el gran cálculo de Kummer, que había establecido el muro infranqueable a los intentos del álgebra clásica, y que le parecía una lectura apropiada para una ocasión tan solemne. Le pareció encontrar entonces una pequeña laguna en una implicación, se le ocurrió la idea de que Kummer tal vez se hubiera equivocado, lo que reabriría la esperanza de una demostración elemental, y estuvo haciendo hasta la madrugada cálculos febriles. Kummer, por supuesto, no se había equivocado, pero a Wolfskehl se le había pasado la hora del suicidio y descubrió que inesperadamente le habían vuelto las ganas de vivir. Rompió las cartas de despedida de la noche anterior y rehizo ese mismo día su testamento. A su muerte, su familia descubrió que había legado buena parte de su fortuna para quien publicara la primera demostración completa del teorema de Fermat. El premio, que en ese momento equivalía a más de dos millones de dólares, fijaba cien años de plazo y tenía como fecha límite septiembre del año 2007. Curiosamente, se otorgaría sólo al que demostrara que el teorema era verdadero: si alguien daba un contraejemplo no recibiría ni un *pfennig*.

La competencia, a pesar de la publicidad en todas las revistas de matemática y del monto enorme del premio, no generó gran interés entre los matemáticos profesionales, que conocían la verdadera cara de la ecuación detrás de su apariencia inocente. Pero sí atrajo inmediatamente a miles de aficionados optimistas, estudiantes incautos, y toda clase de aventureros. Algunos enviaban la primera parte de una demostración, y prometían la segunda si se les daba por adelantado una parte del premio. Otro ofrecía un porcentaje en las ganancias futuras por publicidad a cambio de ayuda para terminar su demostración, y amenazaba que si no colaboraban con él enviaría su borrador a un departamento de matemáticas soviético. El profesor Landau, que era uno de los que recibía la avalancha de demostraciones erradas, descubrió que responder las cartas le quitaba todo su tiempo y decidió imprimir una tarjeta lacónica: *Estimado… Muchas gracias por su manuscrito. El primer error se encuentra en la página… Esto invalida la demostración.* Un colega suyo prefería devolver los manuscritos con una anotación en el margen: *Tengo una refutación verdaderamente admirable de su demostración, pero este margen es demasiado exiguo para contenerla.*

Aun así, la competencia Wolfskehl mantuvo el aura del enigma y en todos los libros de acertijos y dilemas matemáticos, el teorema de Fermat ocupaba el primer lugar. Fue gracias a uno de estos libros, *El último problema*, de Eric Bell, que un niño de diez años leyó por primera vez sobre el enigma y concibió, en silencio, la obsesión de resolverlo.

Un arduo alumno de Pitágoras

Hacia 1975 ese niño, que era Andrew Wiles, se había licenciado en Cambridge y empezaba su carrera de posgrado. Aunque no había abandonado la obsesión de su infancia, comprendía ahora, él también, el riesgo que suponía dedicarse a un problema que había quedado fuera del centro de interés de la matemática, casi como una curiosidad histórica, y que podía arrebatarle toda su carrera sin retribuirle nada.

Su supervisor, John Coates, lo convenció de que se dedicara a estudiar un campo suficientemente cercano: las llamadas *curvas elípticas*. Baste decir que la ecuación de Fermat puede pensarse como un caso particular de curva elíptica. Wiles se convirtió así, después de su doctorado, en otro matemático "serio", profesor en Princeton, que seguía la rutina de conferencias, dirección de alumnos y publicación regular de *papers*. Mientras tanto, otra historia paralela se estaba incubando: en el Japón de la posguerra dos matemáticos jóvenes, que trataban de recuperar el espíritu de investigación, observaron que ciertos objetos matemáticos muy estudiados en esa época, llamados *formas modulares*, daban lugar a curvas elípticas, y formularon lo que se conoció con el tiempo, por sus nombres, como la conjetura de Taniyama-Shimura, que dice que *toda* forma modular puede ser asociada a una curva elíptica. Si esta conjetura resultaba cierta, se abría la posibilidad de que pudieran transferirse, por paralelismo, resultados del mundo modular al mundo elíptico y viceversa. Éste era el tipo de aproximación esencialmente novedoso que la matemática del siglo pasado no podría haber alumbrado: la idea de que hay conexiones profundas entre diversas áreas que se han desarrollado históricamente por separado, con técnicas totalmente diferentes, de manera que, si se toman las debidas precauciones, resultados en un campo pueden ser traducidos y exportados al otro.

El principio del fin

Una tarde de 1986, mientras tomaba el té con un colega, Wiles se entera de la noticia que iba a cambiarle la vida: un especialista llamado Ken Ribet, a través de esta clase de paralelismo, había probado que si la conjetura de Taniyama-Shimura era cierta, podía deducirse también, como un corolario, el teorema de Fermat. Es decir, quienquiera que pudiese dar una demostración de la conjetura de Taniyama-Shimura, estaría dando al mismo tiempo una demostración del último teorema de Fermat. Para el propio Ribet, esto sólo significaba que se había llegado a un punto muerto: su resultado mostraba simplemente que la conjetura japonesa era tan difícil de probar, o más, que el más difícil de los teoremas. Pero Wiles se dio cuenta de que había llegado su momento: en vez de dedicarse a probar directamente el teorema de Fermat, podía ocuparse ahora de un problema mucho mejor visto en el mundo académico. Aun si fracasaba en su última intención, todos los resultados parciales que obtuviera serían publicables. Inmediatamente abandonó todo lo que no fueran sus obligaciones ineludibles en la supervisión de alumnos. Desapareció del circuito de conferencias y se encerró en su casa, durante siete años, sin mencionarle a nadie su plan, a emprender la tarea monumental de revisar uno por uno todos los métodos y todos los intentos históricos de demostración del teorema. Reapareció en junio de 1993, en un congreso de teoría de números en Cambridge, su ciudad natal. Todos sus colegas sospechaban que expondría resultados importantes, sobre todo cuando le asignaron la cantidad infrecuente de tres conferencias. En las dos primeras Wiles no mostró todo su juego. Aun así, los e-mails circulaban furiosamente en todas partes del mundo tratando de averiguar hasta dónde llegaría en la última. Entre los asistentes estaba Shimura pero no Taniyama: se había suicidado varios años antes, sin llegar a ver la importancia que tendría su conjetura; explicaba calmamente en su carta de despedida que no podía ver para sí un futuro. Para la conferencia final se había reunido una multitud infrecuente de curiosos, atraídos por el rumor de que algo importante estaba por suceder. Un agente de apuestas recibió cinco veces en el mismo día la extraña apuesta de que cierto antiguo teorema sería probado esa tarde y decidió, con olfato, no tomarla. No se había convocado a la prensa, pero algunos matemáticos habían llevado por las dudas cámaras de fotos. En una atmósfera tensa, Wiles desarrolló la demostración de la conjetura de Taniyama-Shimura que había preparado en el máximo secreto y escribió en el pizarrón, como última línea, el enunciado del teorema de Fermat, que —todos sabían— quedaba automáticamente probado. "Creo que me detendré aquí", dijo. Después de trescientos cincuenta años el último enigma de Fermat había sido derrotado. *¿Realmente?*

Otra vuelta de tuerca

La noticia fue tapa en todos los diarios. La foto de Wiles frente al pizarrón dio la vuelta al mundo. El *New York Times* tituló: "Al fin se gritó Eureka sobre un antiguo misterio matemático". Mientras tanto, Wiles presentó para el examen de los expertos el manuscrito de su demostración, que tenía doscientas páginas. No era, evidentemente, la prueba que había creído tener Fermat. Sí representaba, en cambio, una síntesis asombrosa de la matemática de tres siglos, un amalgamiento de ideas viejas y nuevas, de técnicas resucitadas y fortalecidas junto con invenciones inéditas: la confirmación de que en la matemática, como en la literatura, toda obra profunda establece con la tradición una relación mucho más intrincada y compleja que la figura más obvia de fidelidad-traición.

Aun así, en el proceso de revisión, como en una película de suspenso, el monstruo se alzó por última vez y estuvo a punto de destruir a quien creía haberlo aniquilado. Este segundo final de la historia, desconocido para casi todos, fue durante más de un año un secreto embarazoso en la comunidad matemática. La reconstrucción de ese período cruzado de tensiones es una de las mejores partes del libro de Singh. Baste decir aquí que Wiles pudo finalmente reclamar el premio Wolfskehl, que —después de la devaluación del marco alemán durante la guerra— se había reducido a cincuenta mil dólares.

No fue, evidentemente, esa suma lo que guió a Wiles durante su cacería de treinta años. No fue, tampoco, ninguna idea posterior de "utilidad". El teorema de Fermat, como gran parte de la matemática, no sirve para ninguna de las cosas que se suelen considerar "útiles" y "prácticas". ¿Qué es lo que anima entonces a esta hermandad que nunca dejó de ser algo secreta? Quizá la certidumbre de que sus obras son las únicas que pueden resistir todos los tiempos: que cuando las pirámides vuelvan a ser arena en el desierto y hayan pasado los hombres, seguirá siendo cierto el teorema de Pitágoras y cada uno de los teoremas. Como dice Hardy en el epígrafe que eligió Singh: *"Inmortalidad" puede ser una palabra tonta, pero quizá un matemático tenga la mayor chance de alcanzarla, cualquier cosa que ella signifique.*

Euclides, o la estética de la razón matemática [*]

A fines de los años 30, perseguido por Mussolini, llegó a la Universidad del Litoral un hombre diminuto, de aspecto frágil y frente ancha. Era Beppo Levi, uno de los matemáticos más importantes de este siglo. Se lo había contratado como investigador en uno de los primeros institutos especializados que tuvo el país pero, por una de las clásicas paradojas argentinas, pronto sobrevino una intervención arrasadora, y Levi acabó dando clases rutinarias de análisis para los alumnos de primer año. Fue también en Rosario donde se publicó por primera vez *Leyendo a Euclides*. Casi cincuenta años después, un grupo de discípulos acaba de reeditar esta incursión casi detectivesca en el pensamiento socrático.

Para entender la importancia de este libro se debe tener en cuenta que los axiomas de Euclides para la geometría no sólo fueron y son todavía en gran medida el paradigma del modo de operar de la razón matemática, sino que cristalizaron también una estética profunda y casi imperativa para esa razón, con implicaciones múltiples en la filosofía que llegan hasta la época con-

[*] Publicado en *Clarín*, 13 de mayo de 2001. Sobre *Leyendo a Euclides*, de Beppo Levi, Buenos Aires, Libros del Zorzal, 2000.

temporánea. Esa estética es la del balance delicado entre simplicidad y alcance, entre la mínima cantidad de presupuestos y la máxima cantidad de consecuencias derivables.

En efecto, la atracción y seducción del modelo euclideano reside en que a partir de nociones muy elementales como punto, recta, círculo, y sólo cinco axiomas que vinculan de manera casi obvia estas nociones entre sí, se puede desarrollar de teorema en teorema toda la geometría clásica, es decir, la totalidad de la geometría que conocía la humanidad hasta no hace mucho tiempo atrás y que Kant creyó la única posible: la geometría que se corresponde con la forma en que vemos el mundo y sirve a cartógrafos, arquitectos y agrimensores para todos los usos diarios.

La larga influencia del procedimiento axiomático en la filosofía puede rastrearse en la *Ética* de Spinoza, que lleva como subtítulo *Demostrada según el orden geométrico*, y también en la búsqueda de Descartes de una verdad "a salvo de toda duda razonable" que pudiera servir como primer principio y punto de apoyo para construir, por pasos puramente lógicos, un sistema de pensamiento inexpugnable. Pero quizá la historia más conocida en torno a la geometría euclideana es la que tiene que ver con el quinto postulado:

Dada una recta y un punto fuera de ella, hay una única recta paralela a la dada que pasa por ese punto.

De los cinco axiomas, este último era, incluso para el propio Euclides, el menos obvio, y en las demostraciones trata de utilizarlo sólo cuando es estrictamente necesario. Durante dos mil años se pensó que tal vez sería posible probar este quinto axioma a partir de los cuatro anteriores, como un teorema más, y encontrar esa demostración elusiva se convirtió en el principal problema abierto de los geómetras. Finalmente un joven estudiante ruso, Nikolay Lobachevsky, descubrió en 1826 que era enteramente posible desarrollar una nueva geometría en la que fueran válidos los cuatro primeros axiomas *pero no el quinto*. Posteriormente Bolyai probó algo todavía más curioso: que la nueva geometría, por extraña que pudiera parecer a la intuición, era tan legítima y sólida como la euclideana, en el sentido de que si llevaba a alguna contradicción lógica, la "culpa" de esta contradicción no podría atribuirse a la negación del quinto postulado, sino a los cuatro anteriores, compartidos con la geometría clásica.

Gauss, que había llegado por su cuenta a las mismas conclusiones, fue uno de los primeros en observar que la existencia de una geometría no euclideana ponía en crisis la idea kantiana de una noción *a priori* del espacio. Éste fue uno de los golpes más duros a la filosofía de Kant, al que se sumaron luego los experimentos sobre la geometría de la percepción visual, tampoco enteramente euclideana, debidos a Helmholtz.

El programa de Hilbert y la incompletitud

El espíritu de Euclides revivió con particular fuerza a principios de 1900 en el programa de Hilbert para fundamentar la matemática. Algunas paradojas lógicas señaladas por Russell en la teoría de conjuntos habían hecho crujir por primera vez el edificio orgulloso de la matemática y mostraban la necesidad de buscar principios y métodos de corroboración que permitieran la revisión cuidadosa de cada resultado. La idea detrás del programa de Hilbert era que debía dotarse a toda la matemática de un conjunto de axiomas bien determinados, como los cinco postulados de Euclides, de manera que todo resultado que los matemáticos proclamasen como verdadero —utilizando cualquier método— pudiera corroborarse y reobtenerse a partir de estos axiomas por medio de un procedimiento puramente mecánico, en una sucesión finita de pasos. En una palabra, Hilbert procuraba identificar la noción de *verdadero* con la noción de *demostrable*.

Pero ya en la vida real estamos acostumbrados a que estas dos nociones no son necesariamente equivalentes. Basta pensar en cualquier crimen con dos únicos sospechosos. Cualquiera de los dos involucrados sabe la verdad sobre su culpabilidad o inocencia: *yo fui* o *yo no fui*. Sin embargo, la justicia debe reunir por otros caminos evidencias —huellas, colillas, verificación de horarios— para decidir sobre esta cuestión y demasiadas veces los indicios no son suficientes para alcanzar esa verdad. Más aún, puede ocurrir incluso que ni la culpabilidad de uno *ni la inocencia del otro* sean demostrables.

En 1930 Kurt Gödel mostró —en lo que fue un golpe de efecto dramático e inesperado— que exactamente lo mismo ocurre en la matemática. Su célebre teorema de incompletitud dio por tierra con el programa de Hilbert al revelar que aun en el fragmento elemental de la aritmética —los números naturales, con la suma y la multiplicación— es imposible dar una cantidad finita de postulados, a la manera de Euclides, que permitan reobtener como teoremas todos los enunciados verdaderos. Es decir, la aritmética, a diferencia de la geometría clásica, es irreductible a un tratamiento axiomático.

El teorema de Gödel, convertido demasiado ligeramente en fetiche de la posmodernidad y de los psicólogos lacanianos, debe verse como un resultado sobre la limitación de los métodos formales axiomáticos y, en general, como un resultado sobre la limitación del lenguaje. Desde el punto de vista de la matemática dice que hay más complejidad en el mundo de los objetos matemáticos de la que pueden dar cuenta los métodos finitistas de demostración. Dice también que la inteligencia y el discernimiento humano son irremplazables: no puede modelarse una computadora que arroje todos los enunciados verdaderos sobre los números naturales. El factor humano insustituible es la facultad de interpretar y asignar sentido.

A la vez, el resultado de Gödel pone por primera vez en crisis la estética simplicidad-alcance profundamente asimilada a partir de Euclides en el pensamiento matemático: la aritmética, y muchos otros fragmentos de la matemática, no pueden axiomatizarse sin perder en el camino una parte de su alcance.

El libro de Beppo Levi

En una investigación anterior y quizá menos conocida, el matemático francés Henri Poincaré había vuelto sobre los axiomas de Euclides para poner en evidencia los presupuestos ocultos detrás de los cinco axiomas: por ejemplo, la admisión tácita de que las figuras son indeformables por rotaciones y traslaciones. En un mundo de fluidos no tendría sentido la geometría euclideana. Este modo de prestar atención a lo no dicho, y de poner en evidencia lo que cada época convierte en verdad inconsciente, anticipaba en el campo de la matemática lo que fueron luego las técnicas arqueológicas de Foucault en las ciencias sociales.

Leyendo a Euclides se inscribe más bien en esta segunda línea, y se puede considerar una revisión bajo la lupa poderosa de los siglos para entender el *corpus* de conocimientos y el modo de razonar geométrico de la época de Euclides. En el prólogo, Levi dice que su esfuerzo al escribir este libro estaría completamente perdido si no pudiera cautivar la atención de lectores no matemáticos. Estos lectores tendrán la oportunidad única de reaprender la geometría de la mano de un matemático verdaderamente célebre (hay un teorema ya clásico del análisis que lleva su nombre) y al mismo tiempo —como dice Mario Bunge en las palabras finales— de tener con los muertos una conversación inteligente, sin recurrir a trucos espiritistas.

¿Qué hay en todo caso —podría preguntarse uno al terminar— detrás de esta estética que atravesó los siglos, detrás de este afán de apresar con unas pocas propiedades todas las consecuencias de un sistema? Los axiomas, quizá, expresan la finitud humana. Desde siempre el hombre se ha debatido con su finitud y en la matemática ha logrado a veces con astucia derrotarla:

nadie puede contar todos los números, pero sabemos escribir cualquiera de ellos y podemos hacerlo con sólo diez símbolos. Nadie puede escribir los infinitos teoremas de la geometría, pero Euclides enseñó que con suficiente paciencia podríamos derivar uno cualquiera a partir de sólo cinco axiomas. Otras veces, sin embargo, ninguna astucia es suficiente. El ser humano es una criatura limitada, pero echa a andar hijos cuyos pasos no puede seguir, dioses que lo suceden eternamente y objetos cuya complejidad se le escapa.

SOLUCIONES Y DESILUSIONES[*]

La matemática tiene un momento elitista —que corresponde a la intuición correcta de la solución de un enigma, reservada para unos pocos iluminados— y un segundo momento profundamente democrático: el momento en que esa solución se da a conocer a todos mediante una demostración. Mirada de cerca, una demostración matemática es una sucesión de pequeños pasos lógicos encadenados entre sí, de manera que cualquiera pueda examinar los eslabones con toda la detención necesaria. Idealmente, cada uno de los pasos debe ser en sí tan simple que cualquier persona con un mínimo entrenamiento en símbolos debería ser capaz de realizar el chequeo de una manera casi automática, verificando de una manera "local" cada ligadura, del mismo modo que una computadora traza en ínfimos cuadrados de la pantalla rayitas inocentes sin saber que armarán finalmente una reproducción de la Gioconda.

Esta combinación de imaginación y libertad para la conjetura de soluciones, y de transparencia y rigor en las pruebas es posiblemente la clave de la profundidad a que ha llegado el pensamiento matemático en com-

* Publicado en "Radar", *Página/12*, 20 de enero de 2002.

paración con la acumulación de conocimiento, siempre relativamente horizontal, de otras disciplinas. Sin embargo, la complejidad de algunos problemas, y la utilización de computadoras, puede cambiar dramáticamente la idea de "solución" y la naturaleza de las demostraciones.

Uno de los problemas más importantes del álgebra —cómo clasificar ciertos objetos matemáticos que se llaman grupos finitos— requirió un trabajo de cíclopes de decenas de matemáticos reunidos en un equipo. Es muy probable que sólo el director fuera capaz de entrever el contorno de la gran figura en el rompecabezas que se iba armando: ningún matemático, para convencerse, podría reproducir por sí solo en el lapso de una vida humana todos los detalles. Durante muchos años, en la ex Unión Soviética, los matemáticos rusos pusieron un asterisco de advertencia en sus trabajos si debían usar en algún momento este teorema. Les parecía más un acto de fe en sus colegas occidentales que una pieza admisible del razonamiento matemático. De la misma manera, es interesante el momento de zozobra que vivió el mundo de la matemática luego de que Wiles anunció la solución a la última conjetura de Fermat, una herida abierta por más de trescientos años. Su demostración original tenía un error, que sólo tres o cuatro especialistas podían detectar; son los mismos tres o cuatro especialistas que certifican que el error se ha remendado. No estoy diciendo de ningún modo que desconfíe de que el teorema haya sido finalmente demostrado. Pero son cien páginas que remiten a otros cien libros de álgebra, y a tres siglos de historia de la matemática. Esto quiebra naturalmente el carácter democrático de la demostración. Fermat, vuelto a la vida, seguramente hubiera protestado. Él creía tener una demostración elemental, breve, bella, admirable: una demostración de las de antes.

Las cosas pueden volverse peores cuando entran en juego las computadoras. Uno de los problemas más famosos de la matemática es el problema de los cuatro colores: dado un mapa con países cualesquiera, ¿cuál es la mínima cantidad de colores necesarios para pintar el mapa de modo que países limítrofes tengan colores diferentes? Se sabía que cinco eran suficientes y que con tres no alcanzaba. Durante muchos años trató de probarse que el número mínimo era cuatro. Finalmente se dio una "demostración": es un libro de programas que, una vez corridos, agotan las miles de ramificaciones de una clasificación tan minuciosa como desanimante. Ningún matemático estaría dispuesto a aceptar desde el punto de vista de la belleza, o la necesidad matemática, que algo así sea una demostración. Vence pero no convence, exactamente igual que la computadora *Deep Blue*, que puede derrotar a Kasparov, pero no juega verdaderamente el mismo juego de ajedrez. Hay, en definitiva, un agudo problema *estético* que empieza a perfilarse.

Leo que en los Estados Unidos se ofrece un millón de dólares a quien resuelva alguna de siete preguntas matemáticas pendientes. Quizá habría que agregar que la solución debe ser corroborable en un tiempo humano. "Pensamiento Profundo", la supercomputadora que imagina Douglas Adams en *Hitchhiker's Guide to Galaxy*, termina su cálculo e imprime la respuesta final "42" en un futuro tan avanzado que ya nadie recuerda cuál había sido la pregunta.

Los gemelos pitagóricos

En mayo de 2003 me tocó reseñar para *La Nación* el libro *El hombre que confundió a su mujer con un sombrero*, de Oliver Sacks (Anagrama). Dentro de ese conjunto extraordinario de relatos clínicos uno de los más asombrosos, para cualquier matemático, es "Los Gemelos", que revela una fuente de evidencia insospechada, "biológica", o más precisamente "neurofisiológica", para la formulación de una pregunta crítica y todavía no resuelta en la historia de las matemáticas sobre los números primos. En estado de "conmoción gnoseológica" escribí un mail general a los matemáticos de la Facultad de Ciencias Exactas, en donde extracté las observaciones principales de Sacks y al que agregué al final, algo temerariamente, un par de conjeturas, con el propósito, sobre todo, de escuchar otras más acertadas. Por los felices designios del comando *forward*, el mail se propagó a otras universidades del mundo y recibí muchísimas respuestas, de las que transcribo algunas al final.

Los Gemelos habían sido diagnosticados diversamente como autistas, psicóticos o gravemente retardados. En el año 1966, cuando Sacks empieza a observarlos, la mayoría de los informes llegaban a la conclusión de que, como sucede con los "sabios idiotas", no había nada especial en ellos, salvo su notable memoria documental para recordar los detalles visuales más nimios de su propia existencia, y el uso del algoritmo calendá-rico inconsciente que los llevó a la televisión, y que les permitía decir inmediatamente en qué día de la sema-na caía una fecha del futuro o el pasado lejanos.

"La realidad", dice Sacks, "es mucho más extraña, mucho más compleja de lo que sugiere cualquiera de esos estudios, pero hay que dejar a un lado el ansia de delimitar y demostrar y llegar a conocerlos, observar-los, sincera, tranquilamente, con una imparcialidad fe-nomenológica plena y comprensiva".

Transcribo en glosas su descripción de naturalista:

"Los Gemelos piden que se les dé una fecha cual-quiera de los cuarenta mil años futuros y casi ins-tantáneamente determinan a qué día de la sema-na corresponde. Se puede apreciar, aunque no suele mencionarse en los informes, que mueven los ojos y los fijan de un modo peculiar cuando hacen esto… como si estuvieran desplegando, o escudriñando, un paisaje interior, un calendario mental. Es una expresión de visualización inten-sa, aunque se ha creído que lo que hacen es un pu-ro cálculo. La memoria que tienen para los núme-ros es excepcional. Repiten un número de tres, de treinta, o de trescientas cifras, con la misma faci-lidad. Esto se ha atribuido también a un método. Pero cuando uno pasa a examinar su capacidad de cálculo (el plato fuerte típico de los calculistas y prodigios aritméticos), resulta que lo hacen asom-brosamente mal, tan mal como podría esperarse de su coeficiente intelectual de sesenta. No son ca-paces de hacer sumas y restas simples, y *ni siquie-ra pueden entender qué significa la multiplicación y la división.*

Se ha deducido y aceptado, sin ninguna base prácticamente, que lo que opera no es en modo alguno la memoria, sino que hay un algoritmo inconsciente que es el que se utiliza para los cálculos calendáricos. Steven Smith, en su obra *The Great Mental Calculators* (1983), comenta: «Opera aquí algo intrigante aunque corriente: la misteriosa capacidad humana para formar algoritmos inconscientes basándose en ejemplos».

Si éste fuese el principio y fin del asunto, podría en realidad considerarse algo ordinario, sin el menor misterio, pues el cálculo de algoritmos, que puede realizarse perfectamente mediante una máquina, es en el fondo mecánico y pertenece a la esfera de los «problemas», pero no de los «misterios». Y, sin embargo, hay en sus «trucos» una cualidad que sorprende. Pueden detallar el tiempo meteorológico y los acontecimientos de cualquier día de sus vidas... cualquier día a partir, aproximadamente, de los cuatro años de edad. Su forma de hablar es infantil, detallada, sin emoción. Se les da una fecha, giran los ojos un momento y luego los fijan y con una voz lisa y monótona cuentan qué tiempo hizo, los acontecimientos políticos de los que hubiesen oído hablar, y los hechos de sus propias vidas... que suele incluir la angustia dolorosa y conmovedora de la infancia, el desprecio, las burlas, las aflicciones que soportaban, pero todo expuesto en un tono invariable, sin un ápice de emoción o inflexión personal.

Lo que hay que subrayar es la magnitud de la memoria de los Gemelos, su amplitud aparentemente ilimitada. Si se les pregunta cómo pueden retener tanto en la cabeza (un número de trescientas cifras, o el trillón de acontecimientos de cuatro décadas) ellos dicen con toda sencillez: «lo vemos». Ese visualizar de extraordinaria inmensidad y de fidelidad perfecta parece ser la clave de todo el asunto, una capacidad fisiológica innata de su inteligencia, que tiene ciertas analogías con el modo de «ver» del famoso paciente que describe Luria en *La mente de un mnemotécnico*.

No hay duda alguna de que los Gemelos disponen de un panorama prodigioso, una especie de paisaje o de fisonomía de todo lo que han oído o visto o pensado o hecho a lo largo de su vida, y que con un pestañeo, visible desde afuera como la operación de girar los ojos y fijarlos, son capaces de recuperar y «ver» casi cualquier cosa que se encuentre en ese panorama.

Esta capacidad de memoria es sumamente rara, pero de ningún modo única. ¿Hay entonces en los Gemelos algo que tenga un interés más hondo?"

En este punto Sacks describe su primer contacto con los poderes "naturales" de los Gemelos.

"Se cayó de la mesa una caja de cerillas y su contenido se esparció por el suelo. «Ciento once» gritaron ambos simultáneamente, y luego en un murmullo John dijo «Treinta y siete». Michael repitió esto, John lo dijo por tercera vez y calló. Conté las cerillas (me llevó un rato) y había 111.

—¿Cómo pueden contar tan de prisa? —pregunté.

—Nosotros no contamos —dijeron—. Nosotros *vimos* las 111.

—¿Y por qué murmuraron «37» y lo repitieron tres veces?

—37, 37, 37, 111 —dijeron al unísono.

El que viesen la «111-idad» en un relampagueo

124

era extraordinario, pero quizá no más extraordinario que el oído absoluto de un concertista, una especie de tono absoluto para los números. Pero luego habían descompuesto el número en tres partes iguales, sin saber siquiera lo que eran los factores, sin saber qué era multiplicar y dividir.

—¿Cómo hicieron ustedes eso? —dije con cierta ansiedad. Ellos indicaron, lo mejor que pudieron, que no lo habían «hecho», sino que lo habían visto, que el número se había disgregado frente a ellos por decisión propia, una especie de fisión numérica espontánea. Parecía sorprenderlos mi sorpresa... como si yo fuese el ciego en un cierto sentido. ¿Era posible que pudieran también «ver» las propiedades, no de un modo conceptual y abstracto, sino como cualidades sentidas, sensoriales, de una forma directa y concreta? Si podían ver «111-idad» de una ojeada, ¿no podrían esos poderes ver también de una ojeada (reconocer, relacionar, comparar, de un modo exclusivamente sensorial y no intelectual) constelaciones y formaciones complejísimas de números? Me recordaba el Funes de Borges: «Nosotros, de un vistazo, percibimos tres copas en una mesa; Funes todos los vástagos y racimos y frutos que comprende una parra... No sé cuántas estrellas veía en el cielo».

¿Podían los Gemelos ver también quizá en su pensamiento una «parra» numérica, con todas las hojas-números, los zarcillos-números, los frutos-números que la componían?"

Sacks describe a continuación una segunda escena reveladora, que presenció por casualidad.

"Estaban los dos sentados en un rincón, sonrientes, una sonrisa confidencial y misteriosa, que yo no les había visto nunca, gozando de la extraña paz y el extraño placer del que parecían disfrutar. Me acerqué silenciosamente para no molestarlos. Parecían encerrados en un singular diálogo puramente numérico. John decía un número de seis cifras. Michael escuchaba el número, asentía, sonreía y parecía saborearlo. Luego él decía a su vez otro número de seis cifras y entonces era John el que lo escuchaba y lo consideraba muy detenidamente. Parecían dos entendidos en vinos, compartiendo valoraciones exóticas… Quizá se tratase de algún juego, pero había una seriedad y una concentración, una especie de profundidad serena y meditativa casi sagrada. Me limité a anotar los números que iban diciendo, que evidentemente les proporcionaban tanto gozo y que ellos «contemplaban» en comunión."

De regreso en su casa, Sacks verifica en uno de sus libros de matemática que su intuición sobre las cifras que había anotado era correcta: todos los números que intercambiaban los Gemelos eran números primos. Al día siguiente decide llevar a la visita el libro.

"Los encontré encerrados en su comunión numérica, como la vez anterior… al cabo de unos minutos decidí incorporarme al juego y aventuré un primo de ocho cifras. Hubo una larga pausa (debió durar medio minuto o más) y luego súbita y simultáneamente sonrieron los dos. Habían visto de pronto, tras un proceso interno incomprensible, que mi número de ocho cifras era un número primo… Se apartaron un poco, para dejarme sitio: un nuevo jugador, un tercero en su mundo. Después John se pasó un buen rato pensando (debieron ser lo menos cinco minutos) y luego dijo un número de nueve cifras. Michael respondió con otra cifra semejante y yo por mi parte, tras un vistazo subrepticio al libro, añadí mi propia aportación, un tanto deshonesta. Un número primo de diez cifras que busqué en el libro. Volvieron a quedarse callados, inmóviles, atónitos; y luego John, tras una prodigiosa contemplación interior formuló un número de doce cifras. Yo no tenía ningún medio de comprobarlo, porque mi libro no sobrepasaba los primos de diez cifras. Pero Michael sí, aunque debió tardar cinco minutos... Al cabo de una hora, los Gemelos estaban intercambiando primos de veinte cifras, o yo supongo al menos que eso eran, ya que no tenía ningún medio de comprobarlo. *No existe ningún método simple para calcular primos de ese orden... y sin embargo los Gemelos estaban haciéndolo.*"

Sacks anota finalmente su conclusión:

"Yo creo que los Gemelos, que tienen una sensibilidad extraordinaria para los números, realmente los sienten en sí mismos, como «formas», como «tonos», como las formas multitudinarias que componen la naturaleza misma. No son calculadores y su enfoque de los números es icónico, conjuran extrañas escenas de números, habitan en ellas; vagan libremente por grandes paisajes de números. Los Gemelos, aunque retardados, oyen la sinfonía del mundo, pero la oyen enteramente en forma de números. No es sólo una «facultad» extraña, sino una sensibilidad armónica, aliada quizá con la música. Podríamos calificarla de sensibilidad «pitagórica» y lo extraño no es que exista sino que sea al parecer tan poco frecuente. Siempre se ha llamado a la matemática la reina de las ciencias y los matemáticos han considerado que el mundo está organizado, misteriosamente, por el poder del número. Los Gemelos viven exclusivamente en un mundo-pensamiento de números. Y sin embargo los números son, para ellos, no sólo «cifras» sino significadores, cuyo «significando» es el mundo. No los consideran a la ligera, como hacen la mayoría de los calculistas. Son más bien contempladores serenos de los números... y los abordan con una actitud de reverencia y de sobrecogimiento. Los números son para ellos sagrados, éste es su modo de captar al Primer Compositor".

A continuación anota como posdata el comentario del matemático Israel Rosenfield, al ver su manuscrito:

"La capacidad para determinar los días de la semana a lo largo de un período de ochenta mil años parece apuntar a un algoritmo bastante simple. Se divide el número total de días entre «ahora» y «entonces» por siete. Si no queda resto, la fecha cae en el mismo día que ahora. Si el resto es uno, la fecha es un día después, y así sucesivamente. La aritmética modular es cíclica, consiste en pautas repetitivas. Puede que los Gemelos visualizasen esas pautas, bien en formas de gráficos de fácil construcción o de algún tipo de paisaje, como la espiral de enteros que aparece en *Concepts of modern mathematics* de Ian Stewart.
Esto deja sin aclarar por qué los Gemelos se comunican en números primos. Pero la aritmética del calendario exige el primo siete. Si se piensa en

la aritmética modular en general, la división modular da pautas cíclicas netas sólo si uno utiliza números primos. Como el número siete ayuda a los Gemelos a obtener las fechas, y en consecuencia los acontecimientos de días concretos de sus vidas, podrían buscar y reconocer en otros números pautas similares a las que son tan importantes para sus operaciones de recuerdo. Quizá sólo pueden visualizar las pautas primas… En suma, la aritmética modular les ayuda a recuperar su pasado, y en consecuencia las pautas creadas al utilizar esos cálculos (que sólo se dan en los primos) pueden adquirir para los Gemelos un significado especial".

Hasta aquí el relato de Sacks. La posibilidad de que los números primos puedan "verse" directamente como paisajes o formas geométricas especialmente gratas y la mención a la espiral de enteros en el libro de Stewart me hicieron recordar un libro clásico de biología que consulté recientemente: *On Growth and Form*, de D'Arcy Thompson, que recobra la idea pitagórica (y aún más atrás, egipcia) de los "gnomons" para explicar las formas espiraladas de crecimiento en caracoles, cuernos, etc. D'Arcy Thompson recuerda la noción de "gnomon" con algunos ejemplos numéricos y geométricos.

"Si añadimos a un cuadrado una porción en L, como la escuadra de un carpintero, la figura que resulta es otro cuadrado. La porción que se añade para obtener una figura similar a la dada se llama en griego *gnomon*. Euclides extiende el término para incluir el caso de cualquier paralelogramo y Hero de Alexandria define explícitamente el gnomon como la figura suplementaria que, añadida a una dada, da como resultado una figura similar. Quedan incluidos los números, considerados geométricamente. Los números pueden ser traducidos en *formas*, por medio de filas de puntos u otros signos, o en el patrón de un mosaico, de acuerdo con «la manera mística de Pitágoras, y la magia secreta de los números».”

Por ejemplo, los números triangulares uno, tres, seis, diez, etc. tienen como gnomons a los números naturales. En efecto 3 - 1 = 2, 6 - 3 = 3, 10 - 6 = 4, etc. De la misma manera, los números cuadrados tienen a los números impares como gnomons: 4 - 1 = 3, 9 - 4 = 5, 16 - 9 = 7.

Hay otras figuras gnomónicas más curiosas: si consideramos un rectángulo tal que los lados están en la relación $^1/_{\sqrt{2}}$ es obvio que al duplicarlo obtenemos una figura similar ya que $^1/_{\sqrt{2}}$ es igual que $^{\sqrt{2}}/_2$. Así, cada mitad de la figura es ahora un gnomon de la otra.

Un segundo ejemplo elegante está dado por el rectángulo cuyos lados están en la proporción "divina", o "sección áurea": $^1/_2 (\sqrt{5} - 1)$ donde $^1/_2 (\sqrt{5} - 1)$ es aproximadamente igual a 0,618... El gnomon a este rectángulo es el cuadrado B construido en el lado más largo del rectángulo y así sucesivamente.

D'Arcy Thompson utiliza el concepto de gnomon en la descripción del caracol Nautilius y otras formas orgánicas relacionadas al establecer su ley de crecimiento:

"Es característico en el crecimiento de los cuernos, de los caracoles y de todas las otras formas orgánicas en que pueda reconocerse una espiral equiangular que cada incremento sucesivo de crecimiento es similar y está similarmente magnificado y situado con respecto a su predecesor, y es en consecuencia un gnomon a la estructura entera preexistente. Vemos que las sucesivas cámaras del caracol Nautilius (y lo mismo ocurre con cada nuevo incremento del Operculum de un gastrópodo o del colmillo del elefante) tiene su característica principal descrita de una vez y su forma explicada por la simple proposición de que constituye un gnomon a la totalidad de la estructura previamente existente".

Hasta aquí D'Arcy Thompson.

Del mismo modo que los pitagóricos concibieron geométricamente los números "triangulares" y los números "cuadrados", la pregunta más inmediata es qué tipo de forma visual "especialmente grata" podría asociarse a los números primos. Pero quizá también, en el proceso de los Gemelos al reconocer a un número como primo, opere un principio "gnomónico" que tenga que ver con el modo en que naturalmente, "biológicamente", se registran (o inscriben) los conceptos numéricos en el cerebro. Los gnomons (respecto de la suma) de los primeros números primos aparecen (por ejemplo) listados en el libro *Elementary Theory of Numbers*, de W. Sierpinski (1964, p. 115), como tabla de diferencias entre primos sucesivos. Esta primera hipótesis "biológica", en que los primos estén ya inscriptos de algún modo en el hemisferio derecho y puedan "leerse" visualmente parece compatible con las explicaciones que da el mismo Sacks sobre las diferentes especializaciones de los hemisferios. Los Gemelos, con graves alteraciones en las funciones lógicas y algorítmicas correspondientes al hemisferio izquierdo, podrían todavía acceder a las formas visuales de la memoria, que corresponden al hemisferio derecho.

Por otra parte, una observación del libro de Stewart antes citado recuerda que, según el teorema de Wilson, se tiene un test "teórico" para los números primos (impracticable desde el punto de vista computacional) que no requiere averiguar los posibles divisores: "Dado un número q, se le suma 1 al factorial[1] de q-1 y se divide por q. El número q es primo si y sólo si el resto de esta división da cero".

Esto abre quizá una segunda perspectiva: la posibilidad de que los Gemelos tengan "implantada" naturalmente la función factorial (o hayan desarrollado un modo icónico o mnemotécnico de "desplegar" el factorial), de modo que, al decirles un número, ellos absorben con la información de las cifras simultáneamente las cifras de su factorial. Así, procederían con cada número como lo hicieron con el 111, en una única división, esperando a que "se disgregue o no" el número "que sigue" al factorial de (q-1).

Éstas son dos hipótesis que arriesgo, probablemente equivocadas o insuficientes las dos. Quizá lo

---

1. El factorial de un número es el producto de todos los números menores o iguales que él. Ej.: el factorial de 5 es 5 . 4 . 3 . 2 . 1 = 120.

más interesante (y desesperante) en esta historia es que no parece haber modo de preguntarles a ellos, porque no pueden dar "razones", y ni siquiera saben qué es dividir y multiplicar. Pero, ¿sólo queda observarlos, como si fueran prodigios naturales incomprensibles? ¿Cuál es la clave "inteligible", si existe, el patrón estético oculto para nosotros, evidente para ellos, en el reconocimiento "visual" de los números primos?

Transcribo a continuación algunos de los mensajes que recibí (pero no verifiqué la información que aportan).

De la correspondencia

Estimado Guillermo:

Muchas gracias por la lectura que me regalaste esta mañana semiotoñal de São Paulo. Mi área de actuación está lejos de la teoría numérica que apenas vislumbré casi 20 años atrás, en las clases del querido Gentile.

Sólo me gustaría llamarte la atención respecto de lo siguiente, algo que probablemente vos ya lo sabés. Cuando se dice en el comentario del matemático Israel Rosenfield: "La capacidad para determinar los días de la semana a lo largo de un período de ochenta mil años parece apuntar a un algoritmo bastante simple. Se divide el número total de días entre «ahora» y «entonces» por siete. Si no queda resto, la fecha cae en el mismo día que ahora. Si el resto es uno, la fecha es un día después, y así sucesivamente".

Esto funcionaría realmente si la historia del calendario no hubiese sido tan accidentada.[2] En octubre de 1582 fueron arrancados 10 días del calendario de varios países muy ligados a la Iglesia. Los de habla inglesa recién comenzaron a incorporar la reforma en septiembre de 1752 (*New Style*). Y si nos remontamos a épocas más antiguas, antes de Sosígenes (astrólogo de César) ni siquiera había año bisiesto. Durante la locura reformista posterior a la caída de la Bastilla, tuvo Francia el calendario de la Razón de meses de 30 días, cada uno con tres semanas de 10 días. Y eso sin contar los calendarios orientales, cuya complejidad es tan marcada que se publican libros de transformación de fechas para las distintas monarquías. La cuenta indicada en el texto refiere a un calendario artificial, que nunca existió. Sería interesante entonces preguntarles a los Gemelos qué día de la semana fue el 4 de octubre de 1582 en cualquier país de Europa. Si acertaran sería una muestra de que, además de un poder increíble de cálculo, han asimilado también parte de nuestra historia universal.

Espero que estas líneas sean de alguna utilidad. Un placer,

Guigue
(Guillermo Giménez de Castro)
Centro de Rádio-Astrônomia e Astrofísica
Mackenzie (CRAAM)

* * *

2. En el artículo original de Sacks se menciona (equivocadamente) que los Gemelos también podían decidir el día de la semana hacia atrás hasta cuarenta mil años en el pasado. Varios mails me llamaron la atención sobre este error.

Hola Guillermo:

Gracias por tu mensaje, muy lindo e interesante. Realmente es impactante lo que cuentan de los Gemelos. ¿Qué sabemos de la veracidad de toda esta historia? Es notable el paralelo con Funes, el memorioso. Evidentemente, Borges conocía a alguien con una "patología" semejante o la historia ha sido inspirada en la lectura de dicho cuento.

Te cuento que como neurobiólogo puedo arriesgar una hipótesis "arrojada" acerca del origen de dicha patología (en realidad inspirada en Borges): ¿carecerá esta gente de algún proceso molecular que nos permite olvidar? Te digo que es algo que en los próximos años puede ser analizado (basta ver si tienen mutaciones en algunos genes clave, el problema es que conocemos algunos genes clave, pero no todos). No sé a vos, pero a mí me sorprende más la habilidad de saber lo que ocurrió en cada día que la habilidad de determinar los números primos. Creo que hay un par de experimentos que sería fundamental hacer: primero verificar si los números son realmente primos y ver si los determinan en tiempo polinomial o exponencial. Por la descripción del texto parecería ser lo primero, lo cual sería altamente sorprendente y de alto impacto en la matemática. También sería interesante ver cómo codifican lo que ocurrió cada día: probablemente no usen demasiados bytes: llovió o no, tal persona hizo tal cosa, etcétera. Probablemente dicha información entre en un par de megabytes, lo cual es bastante menos que nuestra memoria visual potencial. Que nuestra mente es una poderosa computadora lo prueba el hecho de que hay muchas cosas que para nosotros son triviales (por ejemplo, caminar por la calle) y que para una computadora guiando un robot son por ahora imposibles. Además, por razones históricas, nuestras computadoras trabajan en serie y nuestro cerebro en paralelo, lo cual nos da una potencialidad de cálculo mucho mayor. Claro que nuestro cerebro no esta optimizado para devorar números, pero si se encuentra una manera de asociarlos a funciones visuales, entonces la cosa es creíble.

Saludos,
Luciano
(Luciano Moffatt, Ph.D.)
Research Fellow Department of Molecular, Cellular and Developmental Biology University of Michigan

* * *

Hola Guillermo:

Respecto a "la pregunta más inmediata es qué tipo de forma especialmente grata podría asociarse a los números primos", tal vez la respuesta la haya dado Stanislaw Ulam, algunos links al respecto son los siguientes:

http://www.numberspiral.com/

http://www.sciencenews.org/20021026/bob9.asp

http://www.maths.ex.ac.uk/~mwatkins/zeta/ulam.htm (en particular esta última, que tiene muchos links interesantes).

Está muy bueno el artículo!

Saludos,
Juan Pablo Pinasco
(Depto. de Matemática de la FCEyN)

* * *

Algunos comentarios que merece un escrito del amigo Guillermo Martínez, en forma de preguntas.

1. Entiendo que las singulares capacidades de algunos individuos vinculadas a su posibilidad de acceso al registro preconsciente, exploradas por medio de drogas en épocas no demasiado lejanas (de lo que dio bastante testimonio místico Aldous Huxley), potencian como es natural sus posibilidades de implementación de algoritmos de búsqueda.

2. La fascinante historia de los gnomons y su papel en el desarrollo del concepto de número y de la relación entre la aritmética y la estructura de la materia, en particular el atomismo epicúreo, padece una suerte de reedición actual, que arraiga en el lugar natural para la indagación sobre las relaciones entre las microleyes y las macroleyes: la mecánica estadística. Me refiero a lo que en física ha dado en llamarse la teoría del grupo de renormalización, que, al incluir en su nombre la palabra "grupo", testifica su homenaje a uno de los últimos grandes "gnomons" de la ciencia: la mística en torno a los grupos y los invariantes que acompañó, sombreros en mano please, la gestación de la teoría de la relatividad. ¿Casualmente? uno de los padres de esta criatura, el lucidísimo Poincaré, dio un singular testimonio del papel del preconsciente en la gestación de su tesis sobre la funciones de Fuchs. El desarrollo actual, fascinante y explosivo, de la mecánica estadística, incluye una episteme sorprendentemente greco-pitagórica, le guste o no al amigo Sokal.

3. Esa gran organizadora del saber llamada capacidad de abstracción, ¿puede verse en cierta perspectiva como represora? La parálisis que sorprende a las

computadoras cuando se las somete a problemas NP, íntimamente vinculados a este asunto de la metáfora de los racimos, ¿es la parálisis de Funes? La fascinante manera en que la matemática va hoy a la zaga de la física en la comprensión de la mecánica estadística, ¿es analógica con la esencia de la creación? Glup, reglup!!!

4. ¿Hay un goce del hallazgo preconsciente? Esto es una pregunta pero personalmente entiendo muy bien la peculiar sonrisa de los Gemelos.

5. Considero que este tema y estas preguntas, pitagóricas como puedan parecer, están en la matriz de un nuevo *gap* tecnológico para el milenio que alumbra (triste metáfora), y para mentar a otro fanático relativista (y platónico quizás), me gustaría saber en qué anda pensando el amigo Penrose (el de los gnomons no periódicos!!).

6. Podría seguir hilvanando un buen rato, para dar testimonio de pensamiento, pero no tengo vino y esta mañana tenía la intención de trabajar.

Saludos a Guillermo, quien me presentó hace años a Witold, lo que demuestra su roederiana persistencia.

Jorge Busch
(Depto. de Matemática, Facultad de Ingeniería)

* * *

Guillermo,
Antes que nada gracias por el posting. Estas listas merecen ser utilizadas para algo más que ofrecer bases de datos y ventilar cuestiones de dudoso interés público.

Mis comentarios (bastante asistemáticos por cierto):

1. A pesar de ser completamente ignorante en la materia planteada, me incluiría en un conjunto que, por analogía, podría llamarse "algunos-dc".

2. Como ejemplar exáctico incubado en tiempos posmodernos, creéme que inicié la lectura pensando que se trataba de un derivado del compuesto CKBE (aleación que incluye partes variables de Carroll, Kafka, Borges y Eco).

3. Ahora más en serio: encontré en la web algunos de los fragmentos citados, y creo que tal vez valga la pena chequear eventuales defectos en la traducción y/o transcripción de las citas. No sé, quizá sea simple consecuencia de mi ignorancia.

4. Entiendo que estas experiencias abren tres vías especulativas primarias:

a.a) Memoria: el ente percibido se conforma con el pensamiento de un ente ya conocido. Cuando veo un "árbol" a lo 200 metros es probable que no vea "hojas" ni "ramas" (sobre todo con mi presbicia), pero las tengo en cuenta igual, porque la percepción se conforma con un ente ideal que existe en mi memoria. La idea de que un estímulo externo dispara la evocación de recuerdos es bastante más general.

b.b) Deducción inconsciente: se elabora lo que en sentido kantiano podríamos llamar un "juicio analítico a priori", pero sin que el razonamiento llegue a ser objeto de conciencia.

c.c) Aprehensión "simpliciter": se perciben en forma directa y/o inmediata ciertas propiedades del ente considerado. Algo así como el "praedicatum inest subjecto" de Leibniz, pero sin necesidad de razonamiento.

Implica la captación de aspectos previamente desconocidos mediante la sola contemplación del ente externo. La primalidad es inherente al 7.736.269 (está en el número mismo). Yo no la percibo en forma inmediata, pero tal vez otra persona pudiera hacerlo tan sólo mirando el número.

La vía anterior la veo distinta de a-. Un ejemplo de a- podría ser el siguiente: Yo podría mirar el número anterior y decir en forma inmediata que es primo. Y no habría truco. Sucede que ése era mi número de teléfono cuando cursaba Algebra I y, en consecuencia, no escapó a la prueba de primalidad durante aquellos días. Hoy recuerdo esto. Ya conozco el número y algunas de sus propiedades están en mi memoria. Lo que sucede es que en este ejemplo el recuerdo está muy lejos de ser innato.

5. Tomando como base la clasificación anterior (que tal vez ni siquiera sea buena), tu primera hipótesis parecería construirse sobre la primera vía, a la que entiendo que agregaste el supuesto de que dicha memoria sería innata. Tu segunda hipótesis (algo más artificiosa) se encuadraría mejor en la segunda vía. ¿Me equivoco? De ser así, fijate que en ambos casos se transitan caminos "aprioristicos".

6. Lo interesante de la tercera vía es, a mi desautorizado juicio, que agrega la riqueza derivada de toda una gama de grises entre cierto racionalismo y el más extremo empirismo (extremo éste al que no sería difícil arribar si se llegase a suponer que en esta "percepción" ni tan siquiera tiene lugar un proceso semiótico).

7. Los entes matemáticos ¿se crean o se descubren? Ahora arriesgo yo una hipótesis lúdica sobre este dile-

ma clásico: Cuando hace Geometría griega intentando abstraer e idealizar las propiedades esenciales de entes reales; cuando se impone a sí mismo la tarea de concebir un espacio en que, digamos, las ecuaciones de Maxwell resulten invariantes, entonces el matemático crea; crea herramientas. Pero qué sucede cuando, prescindiendo por completo de la experiencia y de todo condicionamiento utilitarista, comienza a considerar objetos ideales en sí. ¿Sería tal vez muy aventurado decir que, en este caso, la "materia prima de su pensamiento" está mucho más cerca de su esencia humana que de cualquier otra cosa? ¿Cuándo hace "pura" Matemática, adónde dirige el matemático sus ojos sino hacia adentro? Y en este caso, ¿crea? ¿O simplemente descubre lo que ya existía en él mismo?

Cordiales saludos,
Horacio
(Horacio Groppa)
(Depto. de Computación de la FCEyN)

* * *

Hola Guillermo:
Antes que nada, perdón por mi falta de fuentes. Lo que voy a describir salió en la revista *Newton*, en alguno de los números del primer año.

La busqué en mi casa, busqué el artículo en Internet con los pocos datos que recuerdo, pero no lo encontré. Pero tal vez la información sirva para tener algunos casos más de análisis. En ese artículo relataba el caso de un hombre que, a consecuencia de una lesión cerebral, perdía la capacidad de cálculo exacto, pero conservaba una idea "aproximada" de los resultados finales. Por ejemplo, si se le pedía sumar 40 + 33, no podía dar el resultado exacto, sí un resultado aproximado. Si se le proponía el resultado 1.000 como respuesta, respondía que era imposible porque era demasiado grande. Si le proponían el número 5, indicaba que era demasiado pequeño. Pero ante un número cercano, indicaba que el resultado que le sugerían era el correcto. En ese momento imaginé que almacenamos los números como "manchas" o superficies divididas en unidades (en lo propuesto en tu artículo, podríamos pensar un hemisferio con una representación "contable" y el otro con una representación "visual"). El problema que tenía el hombre eliminaba la representación contable pero conservaba la representación visual, con lo cual podía marcar en forma imprecisa el resultado como suma de superficies, pero le era imposible el resultado preciso (si mal no recuerdo no podía multiplicar o dividir). Es decir, como si hubiera perdido las "rayitas" internas de la superficie o mancha que la dividía en unidades.

Después de leer tu artículo, se me ocurrió pensar si los Gemelos no tendrán los números también en forma de superficies, pero en vez de dividirlos en unidades, los tienen representado como divisiones en números primos. Es decir, tienen almacenados, "recuerdan" cada número primo como una determinada superficie, y cada vez que ven una cantidad, la descomponen en esa "manchas" que recuerdan. Por eso ven el 111 rápidamente como un conjunto de 3 manchas de 37. Simplemente no cuentan 37, "ven" 37 como nosotros no deletreamos una palabra sino que la vemos como un todo.

Y de esa manera, cada vez que generan un número primo nuevo, cada vez que lo ven, "almacenan" una nueva mancha, una nueva estructura que les permitirá "ver" esa cantidad como una "unidad". Lástima no tener los Gemelos a mano para poder hacer algunas experiencias.

Saludos,
Gonzalo Zabala
(Depto. de Matemática de la FCEyN)

La música del azar
(Entrevista a Gregory Chaitin)*

Gregory Chaitin es un matemático extraordinario. Pasó la mitad de su juventud en Manhattan y la otra mitad en Buenos Aires. En 1957, cuando los rusos lograron colocar por primera vez un satélite en el espacio, los norteamericanos se asustaron y crearon una serie de cursos avanzados para estudiantes interesados en la ciencia. Fue así que a los doce años, y aunque su padre es dramaturgo, él empezó a estudiar física cuántica y teoría de la relatividad en la Universidad de Columbia. A los quince años descubrió una variante del teorema de Gödel, que le permitió definir la idea de azar en términos computacionales. En su reciente libro, *The limits of mathematics*, muestra que hay fragmentos de la aritmética que son impenetrables al pensamiento, y que Dios juega a los dados no sólo con la física sino también con la razón matemática. En esta entrevista recupera rápidamente su castellano y en una mesa del café Tortoni habla del futuro del pensamiento cien-

* Publicado en "Radar", *Página/12*, 7 de junio de 1998. Para más información sobre Gregory Chaitin, http://www.cs.auckland.ac.nz/CDMTCS/chaitin.

tífico, de la inteligencia artificial, de la nueva generación de computadoras y de la maquiavélica máquina que derrotó a Kasparov.

¿Qué fue lo que llevó a sus padres a venir a la Argentina?
—En realidad mis padres nacieron aquí. Eran hijos de inmigrantes del este de Europa y decidieron ir a los Estados Unidos después de la Segunda Guerra. Cuando regresaron a Buenos Aires, en 1966, yo me dediqué a una variedad de cosas: ingresé en los laboratorios de IBM y también di cursos en la Facultad de Ciencias Exactas, la única vez en mi vida que di cursos en forma "normal", con examen final, etcétera. El ambiente era muy entusiasta, había gente muy capaz. Es un gran placer enseñar cuando los estudiantes se interesan.

¿Cuáles fueron sus primeros intereses en la investigación?
—De muy joven, la teoría de la relatividad, la física cuántica y la cosmología. Pero para entender física, hay que aprender primero algo de matemática, y yo me quedé para siempre adentro de la matemática. Quise entender lo que yo consideraba que era el problema más profundo: la cuestión de los límites mismos de los razonamientos matemáticos, el teorema de Gödel. Para mí era algo muy misterioso, pero presentía que era un tema de la misma profundidad que la teoría de la relatividad. A los quince años tuve la idea clave que domina todas mis investigaciones. Es decir, llevo treinta y cinco años dedicados a una sola idea: la de definir una medida de complejidad de información.

¿Puede explicarla de una manera sencilla?

—La idea clave de todo mi esfuerzo es medir la cantidad mínima de palabras que se requiere para definir algo, pero esta cantidad es ambigua, varía con cada idioma, de modo que el paso siguiente fue formular una noción matemática precisa en un idioma artificial. Y para eso usé el lenguaje de las computadoras.

¿Su objetivo inicial era obtener otra demostración del teorema de Gödel?

—No. Mi intención original era la de definir la idea de azar, mediante esta nueva noción de complejidad. Es decir, dar una definición "computacional" del azar. Un número es aleatorio si la información sobre sus cifras no se puede comprimir mediante un programa pequeño. Por ejemplo, el número conformado por un millón de nueves es un número muy grande, pero su descripción es muy corta. Es lo que se llama una información compresible: las cifras de ese número tienen un comportamiento regular, que puede ser aprehendido por ese programa. En cambio, si la descripción más concisa del número es dar todas sus cifras, esto significa que el número no tiene ninguna regularidad, ningún patrón, no hay modo de que un jugador astuto pueda obtener siempre ganancia al apostar sobre sus dígitos. Una de las paradojas que resulta de esta definición es que la gran mayoría de los números son aleatorios, ¡pero no hay modo de dar una demostración matemática que pruebe que un número dado en particular es aleatorio! Tenemos aquí un hecho matemático que tiene una probabilidad altísima de ser cierto, y, aun así, nunca se puede estar absolutamente seguro. Ésta es la paradoja fundamental de mi enfoque sobre los límites de la matemática.

Buscando a Gödel

¿Esto ya lo sabía cuando intentó hablar con Gödel?

—Sí, ésta era la novedad, el nuevo enfoque que yo tenía. Como se imagina, Gödel era mi héroe, y yo quería saber su reacción ante este enfoque. Entonces lo llamé por teléfono.

¿Él estaba en Princeton en esa época?

—Sí. Y con la única persona con la que conversaba era con Einstein. Yo era muy joven, la mitad de la edad que tengo ahora, y no tenía ninguna recomendación. Lo llamé por teléfono y le dije: "Mire, tengo este enfoque nuevo y me gustaría mucho charlar con usted". Increíblemente él no colgó, sino que me dijo: "Bueno, mándeme un trabajo suyo donde haya escrito algo de esto, llámeme de nuevo y vamos a ver si le doy una entrevista". Le envié mi trabajo y, cuando lo llamé de nuevo, ¡me dio la entrevista! Fue un momento glorioso para mí: yo estaba de visita en el laboratorio Watson y me puse a estudiar en un mapa la forma de llegar por tren a Princeton. Estaba en mi oficina, a punto de salir, cuando sonó el teléfono, y una voz (una voz espantosa) dijo que era la secretaria de Gödel, que en Princeton había empezado a nevar y, como Gödel tenía la salud delicada, prefería postergar la entrevista. Era la primavera ya: normalmente no debía estar nevando.

Pero nevaba, y mi cita quedó anulada. Yo tenía que volver a la Argentina ese fin de semana y presentí que no iba a tener otra oportunidad. Y así fue, porque Gödel murió poco después.

A Einstein lo espantaba esa idea del azar que usted ha mencionado.

—El azar es una idea fundamental, pero muy controversial, de la física de este siglo. Cuando Einstein dijo que Dios no juega a los dados con el Universo, ¿por qué lo dijo? Porque en la física subatómica se pierde la posibilidad de determinar unívocamente el futuro.

Las leyes fundamentales son estadísticas. Y a Einstein le espantaba algo así; él tenía una formación clásica, newtoniana.

Él creía en variables ocultas.

—Exactamente, él pensaba que tenía que haber variables ocultas. Y que, cuando se descubrieran, desaparecería el componente de azar y se podría predecir exactamente el comportamiento de las partículas. Sin embargo, los físicos actuales piensan que el azar es estructural. Yo seguí toda esta polémica entre Böhr y Einstein sobre la física cuántica. Einstein fue uno de los fundadores de la física cuántica, pero no creía en el azar: lo rechazó, algo que casi hizo llorar a Böhr, porque lo consideraba su héroe, su maestro. Pero estaba convencido de que el azar juega un papel fundamental. Estaba estudiando los resultados de Gödel y algunos problemas abiertos durante siglos en la matemática, que nadie logra resolver hasta el día de hoy. Y empecé a pensar: ¿no será que el mismo azar, o falta de estructura o de leyes, que se encuentra en la física básica también se encuentra en la matemática pura? Todo lo que he hecho, realmente, se puede decir que viene de estas ideas de la física. Y los físicos se sienten más cómodos con mis resultados que los matemáticos.

Es que usted probó algo que es muy extraño a la intuición y a la práctica matemática: que hay resultados de la aritmética que son verdaderos, no por ninguna razón en particular, sino por pura casualidad.
—Sí, en particular pude definir un número con una propiedad muy curiosa: está perfectamente definido como objeto matemático, pero no se pueden conocer sus cifras. Cada una de estas cifras tiene que ser algún número entre 0 y 9, pero no se puede saber cuál. La costumbre en matemática dice que, si algo se cumple, se cumple por alguna razón. Y la tarea de un matemático es averiguar esa razón y convertirla en una prueba. Pero resulta que los dígitos de este número están tan delicadamente balanceados que son impenetrables a cualquier razonamiento. Esto repugna a los matemáticos: algo que escapa a la razón es horrible, es peligroso, asusta a un matemático.

Preguntas a Dios

A este número que usted define lo han llamado el "número de la sabiduría".
—Es que este número codifica muchísima información, comprimida en una forma extrema. Si uno conociera los primeros cien dígitos, conocería muchí-

simas cosas… Podría resolver un montón de hipótesis dentro de la matemática. Digámoslo así: si un matemático pudiera hacerle cien preguntas a Dios, la mejor manera de sacar provecho de las preguntas sería preguntarle por las cien primeras cifras de este número. Hay alguna gente que se interesa en este número de una forma mística. Excita su imaginación. El hecho de que este número escape a la razón hace que le atribuyan poderes místicos. Pero yo no soy místico, soy un hombre racional, que quiere seguir la tradición que viene de la Grecia antigua. Sin embargo, hay algo paradójico, porque razonando como matemático llego a los límites de la comprensión. Desde el punto de vista filosófico, estoy en una posición bastante incómoda. Amo la matemática, pero veo que hay límites a lo que puede lograr el pensamiento matemático. Y esto es a veces difícil de sobrellevar: siembra dudas sobre lo que he hecho toda mi vida. Porque si la matemática es nada más que un juego que inventamos, entonces he malgastado mi vida. Hay una paradoja personal que surge al trabajar sobre los límites. Desde el punto de vista psicológico es algo más bien… delicado (*risas*).

De todas maneras, dentro de la matemática que se realiza corrientemente, son pocos los resultados que estarían sujetos al azar.

—Sí, en la matemática que se desarrolla cotidianamente los resultados míos no tienen impacto. Pero en algunos campos son conceptualmente importantes y deben tenerse en cuenta. Algunos matemáticos incluso están iniciando una forma novedosa de hacer matemática de una manera cuasi empírica, como procederían los físicos: añadiendo hipótesis sobre las que hay muchas evidencias, pero no certeza absoluta. Esto se debe a la posibilidad de experimentar en gran escala con las computadoras.

La verdad y la vida real

¿Qué pensaba durante esos diez años en que ya tenía la idea de su noción de complejidad, pero no lograba encontrar la formulación precisa?

—Lo que ocurre es que los matemáticos somos un poco artistas, creo. La matemática pura realmente es un arte y yo tengo una sensación estética. ¿Cómo saber si una definición es correcta? Un concepto es bueno si los teoremas que resultan son hermosos, y naturales. Uno tiene que lograr que los conceptos se combinen y trabajen juntos armoniosamente. Cuando empecé mi teoría, ensayé una primera definición que facilitaba el trabajo, pero sentía que había perdido algo respecto de otras definiciones, que ya había considerado y que me traían dificultades técnicas. Durante mi primer viaje al laboratorio Watson en Estados Unidos, aproveché para concentrarme sólo en eso. Y entonces me di cuenta de que sí era posible lograr que todo cayera en su lugar, de una forma fatal. En la matemática hay cierta libertad para cambiar las reglas del juego si el juego no va bien. Ahora, el 99 por ciento de mi teoría camina mejor, pero queda un pequeño porcentaje que se perdió irremediablemente.

En el epígrafe de su libro dice: "Él pensaba que tenía LA verdad". ¿Qué sintió cuando pudo probar el primer teorema importante?

—Por un lado, en la vida normal uno sabe que la verdad no existe. Todo es muy complicado, hay que mirar las cosas desde muchos puntos de vista. En la matemática pensábamos que nos podíamos poner todos de acuerdo, que la matemática se distinguía en ese sentido de la vida normal. Pero los teoremas de Gödel, de Turing y mis resultados demuestran que no se puede tener toda la verdad. Lo que sí es cierto es que durante la investigación hay un momento de éxtasis, de euforia. Porque una investigación es realmente penosa: la mayor parte del tiempo uno está luchando y todo es feo, nada camina, las ideas se chocan entre sí y uno siente que está malgastando su vida en eso. Pero hay un instante en que uno ve la luz y se da cuenta de cómo es el enfoque correcto.

¿Puede describir ese momento?

—Una vez estaba escalando una montaña en el norte del estado de Nueva York. Caminaba con un grupo de amigos bajo la lluvia, pisábamos barro todo el tiempo. Pero, cuando hicimos cumbre, la cima estaba por encima de la capa de nubes, con un sol resplandeciente, y se veía la planicie blanca de las nubes y a lo lejos los otros picos que emergían. Esa misma sensación de euforia se tiene cuando, después de muchos años de luchar contra la propia ignorancia, de pronto uno se da cuenta de cómo mirar las cosas: todo se hace hermoso y uno tiene la sensación de ver más lejos. Es un momento maravilloso, pero hay un precio muy grande que se paga, que es el de estar obsesionado con el problema, como con una herida, como con una piedra adentro del zapato. Y yo no aconsejaría a nadie llevar este tipo de vida. Einstein tenía un gran amigo, Michelle Besso, con quien discutió muchos detalles de su teoría de la relatividad. Pero Besso nunca logró por sí mismo nada importante en la ciencia. Su mujer le preguntó una vez a Einstein por qué, si su esposo era tan dotado, sucedía esto. "¡Porque es una buena persona!", le respondió Einstein. Y yo creo que es así: hay que ser un fanático, y eso arruina la vida de uno y de los que están cerca.

¿Cuál es su relación con la vida real? ¿Usted lee los diarios, por ejemplo?

—Bueno, cuando yo era joven me gustaba andar de mochilero, remar en el Tigre, correr tras las hermosas chicas porteñas, y me reía de esas imágenes excéntricas que la gente tiene de los matemáticos. Pero la venganza de Dios ha llegado con el correr de los años: me sorprendo mirándome en el espejo ¡y descubro que me he convertido en esa imagen de matemático que pensaba que era un chiste! Pero la verdad es que para trabajar en estos temas realmente me he aislado del mundo: vivo en una casa en el campo y debo hacer media hora en coche para llegar al primer café. Ahora que estoy otra vez en Buenos Aires me doy cuenta de que realmente extraño mucho. Esto es maravilloso, la gente por las calles, los cafés. Yo tengo cerca la ciudad de Nueva York, que no es tan hermosa como Buenos Aires, pero con todo es una gran ciudad, y voy realmente poco. Prefiero hacer caminatas por las colinas, el campo, en fin, ése es el tipo de vida que estoy llevando ahora.

Usted recorrió en Viena lugares donde estuvo Gödel. ¿Cómo era él en su juventud?

—Uno tiene la imagen de Gödel a través de las fotografías como un hombre extremadamente flaco, muy serio, que no se interesaba por el mundo real. Pero cuando era joven se pasaba todo el tiempo en los clubes nocturnos de Viena, allí conoció a su mujer, que era bailarina.

Era normal para los hijos de familias acomodadas, como Gödel, este tipo de vida nocturna. ¡Lo que no era normal era que además le gustara la matemática! Un amigo me contó que un día en Princeton vio venir a Gödel por la calle y pensó en detenerlo y presentarse para estrecharle la mano. Pero, en ese momento, por la vereda de enfrente pasaba una alumna joven y hermosa que no llevaba mucha ropa porque era verano. Parece que, en el instante en que mi amigo iba a darle la mano, Gödel estaba con toda su concentración puesta en esta chica y él no se atrevió a interrumpirlo. Esto prueba que Gödel no era un santo de la matemática, y eso está bien. Después de todo, somos hombres de carne y hueso, ¿no es cierto?

Supercomputadoras

¿Cuál es la idea que está detrás de la nueva generación de computadoras que se imagina?

—Bueno, ofrecen una posibilidad tecnológica muy interesante para aprovechar los fenómenos subatómicos: el paralelismo cuántico. Ocurre que un sistema físico subatómico cumple, simultáneamente, todas las historias posibles. Como si dijéramos: yo llegué con seis horas de atraso en el avión, pero, a la vez, llegué a horario, y, a la vez, estalló el avión en el trayecto. El resultado final en la física cuántica, lo que se mide, es una suma sobre todas las posibilidades: todos los caminos deben tomarse en cuenta y todos los cruces e interferencias. Antes se pensaba que esto era paradójico, pero ahora hay una nueva generación de jóvenes que creció pensando de esta manera, superó la crisis y lo encuentra en cierto modo natural. En lugar de pelear contra estos conceptos, ellos piensan cómo sacar provecho de esta locura subatómica: cómo extremar y sacar a la superficie este comportamiento loco y convertir este paralelismo en un ordenador que pueda hacer al mismo tiempo millones de cómputos en paralelo. Uno solo de estos procesadores reemplazaría a un millón de computadoras que trabajaran al mismo tiempo. Lo que encuentro sobre todo interesante es esta idea de forzar al mundo subatómico a revelarse, y mostrarse cuántico al máximo. Algo así como pensar: si el mundo es así, ¡vamos a exagerarlo!

El nuevo Golem

¿Cuál es su opinión en la polémica acerca de la posibilidad de creación de inteligencia artificial?
—Me alegra que me lo pregunte. Creo que ya se está logrando inteligencia artificial, sólo que no nos damos cuenta. Normalmente se pensaba que la inteligencia artificial debería parecerse a la inteligencia humana. En esa dirección no hay mucho desarrollo: resulta muy, muy difícil hablar, comprender un idioma natural, re-

conocer caras, caminar… todas esas cosas que son simples para los humanos resultan complejas para las computadoras. Pero las computadoras son muy buenas en tareas que son difíciles para nosotros: por ejemplo, cálculos simbólicos. Hay un programa que se llama Mathematica, de Steven Wolfram, que yo diría que tiene realmente una inteligencia artificial. No es una inteligencia humana, pero me puede ayudar mucho en mis investigaciones.

También en el ajedrez: mi laboratorio participó en la supercomputadora que derrotó a Kasparov, pero, otra vez, no se hizo de forma humana, sino con fuerza bruta, con un proyecto de ingeniería en gran escala. No se simuló la forma en que piensa un ajedrecista, sino que se usaron centenares de máquinas muy veloces con conexiones entre ellas. Lo que se llaman computadoras masivamente paralelas.

Yo me refería más bien al argumento central de Penrose en contra de la posibilidad de inteligencia artificial: la imposibilidad de la computadora de hacer razonamientos sobre sí misma.

—El libro de Penrose es muy interesante, él hizo trabajos muy importantes sobre los agujeros negros y fue, luego, el director de tesis de Stephen Hawking. Pero debo decir que yo estoy en total desacuerdo con la tesis de su libro. Mi opinión personal es que el problema de la inteligencia artificial no es un problema matemático, teórico, sino un problema de ingeniería. Sé que esta posición parece un poco extraña en un matemático. Sin embargo, yo pienso en el ser humano como una obra de ingeniería, muy bien adaptada para manejarse en este mundo. Muchas veces ocurre que se demuestra en teoría que algo no se puede hacer en la práctica. Pero los ingenieros logran encontrar una solución bastante buena en la mayoría de los casos, o una aproximación suficiente. Yo creo que la inteligencia humana es algo parecido. Creo que hay una parte del camino hecho, sólo que no nos damos cuenta. Dentro de cincuenta años se va a estar muy cerca de una verdadera inteligencia artificial, y después la gente se va a preguntar por qué alguna vez se pensó que era tan difícil lograrlo. No va a ser el resultado de un teorema matemático, sino producto del trabajo de muchos ingenieros, por partes, creciente... Un poco como ocurre en la biología. Los biólogos dicen que Dios es un... ¿cuál es la palabra castellana para *cobbler*?

¿Un remendón?

—¡Un remendón, exactamente! Los seres humanos no fueron diseñados como una obra de arte, sino que se fueron emparchando, cada vez que surgía una emergencia. Y así somos. Un poco estrambóticos, pero funcionamos. Creo que la inteligencia artificial también va a ser un poco así.

¿Como una oveja Dolly?

—Sí, como una sucesión de injertos, un Frankestein que gradualmente se irá sofisticando, hasta que un día nos demos cuenta de que el monstruo es ya bastante inteligente. Ya ve: mi punto de vista aquí no es el de un matemático, sino el de un ingeniero.

Un nuevo Renacimiento

¿Cree que las conclusiones de sus trabajos alientan algún tipo de pesimismo respecto de la ciencia, o la razón en general?

—Algunas de las cosas que he dicho pueden parecer un poco pesimistas, inclusive me entrevistaron para un libro que se llama *El fin de la ciencia*. El señor que escribió este libro pensó que mis resultados apoyaban su tesis de que la ciencia se acaba. Pero en la entrevista dije enfáticamente que no estoy para nada de acuerdo. Yo prefiero otro libro, que está por aparecer: *El nuevo Renacimiento*, de Douglas Robertson. Su tesis es que vivimos una nueva etapa de la sociedad y de la ciencia, debido a la incorporación en todos los niveles de las computadoras. Según él, lo que separa en un principio al hombre del animal es el lenguaje. La civilización comienza con la escritura y la lectura, que permiten saber y recordar más cosas. A continuación viene el Renacimiento europeo, con la invención de la imprenta y la democratización del saber (antes, el libro era un objeto de lujo, reservado sólo a obispos y reyes). Y ahora estamos por entrar en el siguiente nivel, en el que la computadora hará sentir su verdadero impacto. Se requería la computadora personal, se requería Internet y se requería la web mundial. Con la web todavía hay un problema de copyright, pero cuando esto se solucione, uno tendrá a su alcance, en su pantalla, la suma de todo el conocimiento mundial e histórico. La web será una inmensa biblioteca, la biblioteca universal humana. Lo importante, según Robertson, es la cantidad de información al alcance de cada persona en una sociedad. Con cada uno de los pasos históricos (lenguaje, escritura, imprenta, Internet) la sociedad aumenta y distribuye mejor la información. Robertson dice que la computadora provocará, además, una revolución conceptual en la manera de hacer ciencia y matemática. Cambió la idea de solución y cambian gradualmente los métodos. Pueden estudiarse sistemas muy complejos. Los problemas analíticos van quedando como problemas elementales.

Sin embargo, con este nuevo enfoque hay algo que se pierde: la idea de elegancia, de concisión, de belleza matemática. Ideas que provienen de una estética humana…

—Es cierto, y la belleza de los razonamientos matemáticos es lo que a mí me encanta. Cuando yo era joven decía que la belleza de algunas demostraciones era comparable con la de una mujer hermosa. Evidentemente no es lo mismo, pero en cierto sentido producen la misma poderosa emoción. Pero la matemática está en continua evolución y me temo que los problemas que admiten una solución bella y corta quedan ya como problemas de juguete. Por supuesto, esto no es más que mi opinión personal, que es muy controvertida. Pero como estamos en el café Tortoni, me siento otra vez porteño, y capaz de hablar de todo.

LITERATURA Y RACIONALIDAD[*]

Una tesis singularmente drástica de nuestra modernidad, y sin embargo ampliamente aceptada y repetida como un lugar común de la época, afirma la ineptitud de todos los sistemas filosóficos, la imposibilidad de las grandes síntesis del pensamiento y la inhabilitación en general de la razón para dar cuenta de la realidad. No es difícil imaginar por qué esta tesis tiene tanta popularidad: los filósofos son muchos, los libros de filosofía son largos, pensar es fatigoso y trae dolores de cabeza. Y luego, por supuesto, para leer a Schopenhauer hay que retroceder a Hume y a Kant; para leer a Sartre, recaer en Heidegger; y no se puede ir a Marx sin pasar antes por Hegel, por Ricardo, por Feuerbach. Para entender a Wittgenstein hay que saber lógica; para leer a Vico, historia; para abordar a San Agustín, teología. Qué tentador, claro, que en este punto alguien nos convenza con un buen argumento de que nada de esto es necesario, que todos esos muchachos estaban equivocados y que podemos obviar sin culpa esos tres o cuatro mil libros.

En vez de un buen argumento hay un pase de manos demasiado rápido: la crítica parte de la afirmación

* Publicado en *La Nación*, 13 de febrero de 1994.

de que la razón humana es limitada (lo cual, por supuesto, es cierto y tan novedoso como que, por ejemplo, los hombres son mortales, o que, agitando los brazos muy ligero, uno no remontará vuelo) y a continuación se deshace de toda la historia del pensamiento haciendo pasar esta limitación por impotencia.

Pero la limitación, como protestó exhausto Casanova, no tiene nada que ver con la impotencia. El error, siempre el mismo, está en considerar el dominio de lo racional de una manera injustamente estrecha, como un conjunto acabado e inmutable de operaciones lógicas, una especie de tabla definitiva de silogismos; en una palabra, confundir a la razón con la parcela que utilizan, sobre todo, los matemáticos y los científicos. Pero ni siquiera en estos dominios la razón es algo acabado y rígido: así, por ejemplo, Lobachevsky, al negar el quinto postulado de Euclides, no sólo expandió la geometría sino también la razón matemática, y en la física contemporánea dar un modelo adecuado para el mundo subatómico equivale a encontrar una lógica suficientemente elástica para explicarlo.

Lo que se deja invariablemente de lado es que la racionalidad, como cualquier otra facultad humana, se fue desarrollando en los hombres a lo largo del tiempo, en permanentes conflictos y demarcaciones e incluso a veces en paradójicas alianzas con la irracionalidad. La página de Nietzsche sobre la formación de la lógica en la mente humana como resultado de la supresión brutal de matices, de simplificaciones primitivas e igualaciones instintivas, necesarias para la supervivencia, pero fatalmente "ilógicas", deja ver por un momento el insospechado dramatismo que hay detrás del *modus ponens* o las huellas de bestialidad en el teorema del resto. Así, la racionalidad es un proceso. Un proceso que avanza entre contradicciones, aproximaciones sucesivas, límites difusos y teorías siempre precarias, siempre provisorias, en la tierra de nadie de la realidad.

Mirando por un momento las cosas de este modo, mirando a la razón como una facultad viva y cambiante, tiene sentido preguntarse si no será posible refundar el entendimiento sobre una nueva forma de racionalidad, más ampliada, más sutil, más potente, que escape por igual a Kant y a Gödel y de la cual la razón filosófica tal como se conoció hasta ahora sea un caso "limitado" y particular. Mi novela *Acerca de Roderer* es una ficción en torno a esta pregunta, que equivale en el fondo a preguntarse sobre la posibilidad o imposibilidad de reinstalar una visión prometeica en esta época de pactos fáusticos.

Narrativa y fin de siglo

El posicionamiento frente a la racionalidad no deja de tener sus consecuencias en la narrativa actual. A diferencia de las religiones, que resisten impávidas el silencio de Dios, el pensamiento, mucho más huidizo, ante la primera grieta en sus edificios se fuga a la irracionalidad o al desánimo. Y del mismo modo que de la crítica justa a la razón positivista del siglo diecinueve nuestro fin de siglo parece sacar como extraño corolario el retorno de los brujos, y que del estancamiento del psicoanálisis brotan los manuales de autoayuda y las flores de Bach, así también en literatura de los vastos intentos totalizadores se ha saltado rápidamente al módico recetario del posmodernismo.

Una de las respuestas mecánicas de la desconfianza en las grandes síntesis es el refugio en la minimalidad. Esta literatura de intención minimal puede ser vista en cierto modo como continuación de la obra de Hemingway, con la variante de que no diferencia en general entre la punta del iceberg y un cubito del vermouth. Más allá del minimalismo, hay otros elementos mucho más extendidos y recurrentes, que configuran una auténtica retórica de "lo contemporáneo" y que casi permitirían escribir un manual de instrucciones para la novela moderna. (Es la vieja paradoja del tiempo: aunque a nadie le conviene reconocerlo, hay también a esta altura una forma clásica y tradicional de hacer literatura "moderna".)

La nueva retórica parte de una no muy novedosa opinión escéptica: la de que en literatura, esencialmente, "está todo dicho". Desde este enfoque —como ya analizó Thomas Mann hace casi cincuenta años— la creación está condenada a dos vías muertas: la parodia y la repetición. La repetición, en nuestros días, lleva el nombre más prestigioso de "intertextualidad". La parodia suele ser parodia de género, con llamadas constantes al lector para que no sea bruto y aprecie los guiños y las dotes de arquitecto del autor.

También hay un folklore para los personajes: el héroe debe ser escéptico o, mejor todavía, directamente cínico. Nada lo turba: mata con desgano, se inyecta heroína con aburrimiento, hace el amor con una sola mano. Es el típico personaje duro-irónico-noctámbulo-marginal-aunque no mal muchacho de la literatura negra norteamericana, revivido una y otra vez con la excusa del toque paródico. Pero si miramos con atención: cinismo, frialdad, parodia, intertextualidad, literatura en segundo grado, autorreferencia, aburrimiento, ¿qué es lo que hay de común en estos elementos? Un único terror por no dejarse sorprender, por no quedar nunca más al descubierto. Al que no cree, por lo menos, nadie lo tratará de ingenuo, al que nada afirma nada se le podrá refutar. Del mismo modo, la parodia no puede ser parodiada ni la intertextualidad vuelta a mezclar. Nuestro fin de siglo, con un refllejo de mano escaldada, busca refugio en los estados terminales del escepticismo. ¿No es conmovedor el aire paternal y "avisado" con que estos autores nos recuerdan cada tres páginas que lo que estamos leyendo es "sólo ficción"? Incluso de esta mínima credulidad temporal —la lectura—, sin duda para nuestro bien, quieren salvarnos. Pero el escepticismo, como posición, es tan inatacable como estéril, y en el dominio de la literatura —está a la vista— conduce rápidamente a caminos cerrados.

La pregunta natural, llegados a este punto, es la de si existe otra opción. Es verdad, por supuesto, que en literatura hay mucho definitivamente dicho, y por eso la otra opción no puede ser el estado de inocencia. Cualquier alternativa debe partir de reconocer que la literatura es, también, una forma de conocimiento, y esto obliga a tener en cuenta una larga historia de permanente invención, variación y agotamiento de recursos y de efectos, de teorías, de retóricas y de géneros. Pero ¿por qué suponer que esta historia ha llegado a su fin? Lo que se requiere, precisamente, es distinguir en la marea de obras lo que efectivamente "está dicho" de lo que queda por decir. Para formularlo como un programa: escribir contra todo lo escrito.

Claro está que "escribir contra todo lo escrito" se vuelve cada vez más difícil a medida que pasa el tiempo, no sólo por la razón inmediata de que aumentan los registros probados, la extensión de lo que ha sido tocado, sino también porque se agudiza a la par el grado de conciencia de la literatura sobre sí misma, de manera que también se desgastan rápidamente los mecanismos formales, las sucesivas retóricas. Así, cada nueva obra en nuestra época tiene que debatirse con una segunda exigencia de originalidad en el plano de lo formal: establecer su retórica propia.

Esta dificultad creciente de escribir tiene también, como un tentador escape, el abandono al "está todo dicho". Curiosamente, por dos caminos distintos, uno "externo" y social, vinculado a la época y sus desilusiones, y otro "interior", relacionado a la historia íntima de la escritura, llegamos a la misma encrucijada entre escepticismo y originalidad.

Es posible que toda convicción sea al mismo tiempo una forma de la ingenuidad pero, al fin y al cabo, de convicciones y de alguna ingenuidad están hechas todas las obras del hombre.

El escepticismo, en tiempo de derrumbes, puede hacerse pasar fácilmente por inteligencia. Pero la verdadera pregunta de la inteligencia es cómo volver a crear.

¿Quién le teme al uno feroz?*

Se sabe que sólo hay un modo más efectivo para prevenir una conversación en una sala de espera que abrir un libro, y es abrir un libro de matemática. La sola mención de la palabra "matemática" infunde escalofríos, terror, y puede remontar al adulto más seguro a los temblores de una división con fracciones y a otras pesadillas numéricas de la infancia. Y a pesar de que el pensamiento matemático ha dejado en las llamadas Humanidades sus huellas dactilares por todos lados, desde los pitagóricos hasta el Círculo de Viena, desde la apuesta teológica de Pascal hasta la ética según el orden geométrico de Spinoza, desde los primeros principios de Descartes al teorema de Gödel, y a pesar de que la matemática ha probado ser a lo largo de la historia una ciencia increíblemente mutable y proteica, todo es en vano, y la inmensa mayoría la sigue confundiendo con ese fragmento bastante tedioso que se impartía (¿imparte?) en los colegios secundarios.

El diablo de los números, del ensayista y poeta alemán Hans Enzensberger, está dirigido expresamente en su subtítulo a "todos aquellos que les temen a las

---

* Sobre *El diablo de los números*, de Hans Enzensberger, Siruela, Madrid, 1997. Publicado en "Radar", *Página/12*, 1998.

matemáticas", y claro, estaría llamado a convertirse en un *best-seller* universal si no fuera por un pequeño detalle. Las personas que verdaderamente les temen a las matemáticas no abrirán nunca, jamás, un libro que lleve esa palabra en la tapa, porque presienten —con razón— lo que les espera: que bajo la forma insidiosa de lo sencillo, de lo elemental, les quieran enseñar a traición cosas dificilísimas. Proceden con la lógica irreprochable de aquel niño de Simone de Beauvoir que se negaba a aprender la *a* porque sabía que después vendrían la *b*, la *c*, la *z*, y toda la gramática y la literatura francesa.

El protagonista del libro, Robert, es un niño de once años que tampoco simpatiza mucho con los números. Tiene un profesor de colegio que lo atormenta con la regla de tres y a la noche sueña pesadillas recurrentes y monótonas. En uno de estos sueños se le aparece el diablo Teploxtal, enviado desde el infierno-paraíso de los matemáticos para iniciarlo en la ciencia maldita.

A lo largo de doce noches —doce lecciones elementales de matemática— el diablo se las arregla para disolver primero el escepticismo de Robert y despertar luego poco a poco su entusiasmo, a tal punto de que aun durante el día Robert sigue pensando en dilemas matemáticos e incluso deja de jugar al fútbol con sus amigos. (Recordar que Robert es un niñito alemán y no sabe que el fútbol es lo único que importa en este mundo.) Hacia el final Robert recibe por su empeño una invitación para cenar junto a los matemáticos inmortales: Gauss, Klein, Russell, Fibonacci. Durante esta cena le otorgan una orden pitagórica, una medalla mágica de aprendiz de brujo, con la que vuelve a la Tierra y puede resolver con gran estilo los problemas fastidiosos de su fastidioso profesor de matemática.

El diablo de los números tiene varios méritos importantes. El primero de ellos es que Enzensberger, que no es matemático, y que ha escrito sobre cosas tan diversas como la ecología política o el hundimiento del Titanic, logra atravesar limpiamente (con un buen asesoramiento) los doce temas, que tienen sutilezas no triviales. (Hay una errata importante en la edición española, en el enunciado de la conjetura de Goldbach.) El segundo punto a favor es la selección de estos temas, que son todos curiosos y atractivos y logran poner en escena la magia antigua de la matemática. En particular, las desventuras de los romanos por ignorar el cero, la importancia de la sucesión de Fibonacci en el crecimiento de los árboles y la proliferación de conejos, los números triangulares, la botella de Klein —en la que no se sabe qué está adentro y qué está afuera—, la diversidad de los infinitos y el triángulo mágico de Sierpinski. También se deja entrever algo de la verdadera actividad de los matemáticos: la solución de problemas abiertos (no resueltos), la demostración de conjeturas, la eterna maquinaria de formular más preguntas, que es la parte viva de toda ciencia. Las explicaciones son muy claras, no requieren ningún conocimiento previo, más que recordar que $1 + 1 = 2$ (esto es absolutamente así) y el autor sabe detenerse a tiempo, sin pretender dar todas las pruebas: como en una sesión de ilusionismo, es más importante lo que muestra que lo que se demuestra. Es discutible en cambio la tergiversación deliberada y chocante de varios términos matemáticos para hacerlos más… ¿familiares? Así, a los números primos se los llama números de primera, a la raíz cuadrada se la llama rábano, a los números irracionales, números irrazonables. ¿Son más encantadoras las matemáticas con rábanos que con raíces? ¿Suena menos intimidante número irrazonable que número irracional?

El costado más débil del libro es, paradójicamente, la parte literaria. La línea argumental resulta muy endeble y la historia, por su ingenuidad y su falta de gracia, no está a la altura del contenido matemático, y parece concebida para chicos de edad mucho más baja. Es apenas un envoltorio precario, una excusa, para la serie de lecciones. De este modo, lo que podría haber sido con más imaginación una obra al estilo de *Alicia en el País de las Maravillas*, con las matemáticas integradas dramáticamente en el relato, queda como un conjunto de lecciones de iniciación bien elegidas y bien explicadas. Para niños, sobre todo, pero también para todos aquellos que quieran darle a la matemática una segunda oportunidad. Con dibujitos simpáticos y traducción españolísima.

Un Dios pequeño, pequeño[*]

¿Cuántas posibilidades de elección tuvo Dios al construir el universo? Esta pregunta de Einstein, que en otras épocas hubiera preocupado a los filósofos o a los teólogos, por una paradoja de la posmodernidad está a punto de ser respondida por la física moderna. El viaje al fin de la noche tiene su punto de partida en una observación astronómica crucial de 1929: dondequiera que se apunte el telescopio, las galaxias distantes se alejan de nosotros. O en palabras más dramáticas: el universo se está expandiendo.

Los físicos tardaron algunas décadas en procesar teóricamente la noticia; la creencia en un cosmos esencialmente inmóvil era tan fuerte que el propio Einstein —en el único error de su carrera— había introducido *deus ex machina* una constante "cosmológica" para sujetar al universo en equilibrio. Y sin embargo, se mueve. Un movimiento que tiene profundas consecuencias en las ideas sobre Dios.

En efecto, un razonamiento inmediato dice que si las galaxias se están separando unas de otras, en épocas anteriores debieron haber estado más juntas entre sí.

* Publicado en *Clarín*, con el título "Leyes del universo", 16 de agosto de 1998.

Extremando los cálculos hacia atrás, se conjeturó que en algún momento toda la materia del universo tuvo que estar concentrada como en un sumidero, en un único punto infinitesimal. De allí a la teoría del *Big Bang* hay un solo paso. Este paso lo dieron Roger Penrose y su entonces alumno de doctorado Stephen Hawking al demostrar en 1970 —bajo la hipótesis de que la teoría general de la relatividad todavía rigiera en el sumidero— que el universo en el instante inicial debía efectivamente constituir un punto de dimensión nula con una densidad infinita, lo que los matemáticos llaman una singularidad. En particular, probaron también que si hubiera habido acontecimientos anteriores a ese instante inicial, no podrían afectar de ninguna manera lo que ocurre en el presente, no tendrían consecuencias observables. Así, el tiempo no continúa, como creía Kant, indefinidamente hacia atrás, sino más bien, como lo había intuido San Agustín, es una propiedad inseparable del universo, y también tiene su origen en el *Big Bang*.

La implicación teológica de esta primera conjetura ya es algo incómoda. En un universo inmóvil no existe la necesidad física de un principio y puede imaginarse que Dios eligió libremente el instante de la Creación. En cambio, en un universo en expansión, el principio del tiempo ya no puede ser elegido arbitrariamente. Uno aun podría imaginar que Dios creó el universo en el instante del *Big Bang*, pero no tendría sentido suponer que hubiera sido creado antes, y esto establece un límite preciso a un Creador.

Aun así, la Iglesia aprobó con entusiasmo esta primera formulación. Al fin y al cabo todavía quedaba un pequeño lugar en el principio del tiempo para el *fiat* de un creador. Pero, sobre todo, el hecho de que el origen del universo fuera una singularidad dejaba inermes a los físicos para seguir indagando en el instante cero, simplemente porque en las singularidades todas las leyes generales fallan. El génesis quedaba así protegido con un halo de misterio muy conveniente para los usos eclesiásticos.

Olvidaron, sin embargo, un detalle esencial: que toda teoría en Física es provisional, que cada nueva teoría se sostiene sólo hasta tanto una nueva observación o experimento no revele una inconsistencia y fuerce a los físicos a corregir sus fórmulas o a cambiar radicalmente su punto de vista sobre algún paradigma. Ya la Iglesia Católica había cometido una vez el error de atar las Sagradas Escrituras a la interpretación cosmológica de Ptolomeo, con la Tierra inmóvil en el centro del universo. Ese error, que perduró por más de cuatrocientos años, le valió a Galileo su condena.

Esta vez las malas noticias tardaron menos en llegar. En un congreso de cosmología organizado por los jesuitas en el Vaticano, al que habían sido invitados los principales expertos, los participantes tuvieron una audiencia con el Papa, que Hawking comenta con ironía en su *Breve historia del tiempo*:

> "Nos dijo que estaba bien estudiar la evolución del universo después del *Big Bang*, pero que no debíamos indagar en el *Big Bang* mismo, porque se trataba del momento de la Creación, y, por lo tanto, de la obra de Dios. Me alegré entonces de que no conociera el tema de la conferencia que yo

acababa de dar: la posibilidad de que el espacio-tiempo fuera finito, pero no tuviese frontera, lo que significaría que no hubo ningún principio, ningún momento de la Creación. ¡Yo no tenía ningún deseo de compartir el destino de Galileo!"

Lo que acababa de ocurrir era que el propio Hawking había revisado su teoría y —en una nueva versión— había logrado eliminar la singularidad inicial. Las flamantes fórmulas, que expuso a cardenales y obispos, dejan a Dios sin ningún papel en la Creación.

Para entender esta modificación se debe recordar que hay actualmente dos teorías parciales que describen el universo: la teoría de la relatividad general, que explica las ley de la gravedad y la estructura a gran escala del cosmos, y la mecánica cuántica, que se ocupa del mundo subatómico, de lo infinitamente pequeño. Se sabe que estas teorías no pueden ser ambas correctas a la vez. Justamente, los mayores esfuerzos de los físicos en la actualidad están dirigidos a formular una única teoría unificada que pueda amalgamar los resultados de los dos mundos. La principal dificultad a superar es que en el mundo subatómico rige el principio de incertidumbre de Heinsenberg, que establece un límite a las posibilidades de observación y predicción y señala un elemento irreductible de azar en el mundo subatómico. Esta conclusión arrancó de Einstein, que no se resignaba a aceptarla, su conocida expresión de disgusto: "Dios no juega a los dados con el universo".

La teoría de la relatividad general, en cambio, no tiene en cuenta el principio de incertidumbre. La convivencia de estas teorías contradictorias entre sí es posible porque rigen fenómenos en distintas escalas. Pero, justamente, la hipótesis de que el universo fue en algún momento infinitamente pequeño dice que en esas primeras dimensiones mínimas los efectos cuánticos deben ser tomados en cuenta. Ya no pueden descartarse: la relatividad general, que era la hipótesis de Penrose y Hawking en el primer teorema del *Big Bang*, debe sustituirse —al combinarse con el principio de incertidumbre— por una nueva teoría cuántica de la gravedad.

Una vez considerados los efectos cuánticos, la singularidad puede eliminarse y aparece un nuevo cuadro posible para el universo: el espacio-tiempo, en la conjetura más reciente de Hawking, es finito en extensión pero no tiene fronteras. Puede imaginárselo como una superficie lisa y cerrada, como la superficie de la Tierra, en la que uno puede caminar indefinidamente sin caerse por precipicios. No hay tampoco singularidades en que las leyes de la ciencia fallen ni ningún borde en que se deba recurrir a Dios o a una nueva ley para establecer las condiciones de contorno. Pero si el universo es realmente autocontenido, si no tiene ninguna frontera o borde, no tendría ni principio ni final: simplemente sería. No queda lugar entonces para un Creador.

Así, a la pregunta de Einstein sobre cuántas posibilidades de elección tuvo Dios al concebir el universo, si la nueva conjetura de Hawking se confirma, la respuesta sería: *ninguna*. Y como ese astrónomo al que su rey preguntó dónde ubicaba a Dios en su sistema de esferas, podría contestar, con una sonrisa mefistofélica: "Señor, esa hipótesis no me fue necesaria".

El sumidero de Dios[*]

Volví a acordarme de esta pequeña historia cuando escuché hace poco a Stephen Hawking afirmar en un reportaje que la física llegará muy pronto, quizá en la primera década del milenio, a la teoría unificada de las leyes del universo, con la explicación matemática del momento cero de la creación.

Volví a acordarme, mientras el periodista le hacía la inevitable pregunta sobre el papel que quedará para Dios, de las clases de Cosmología del profesor Katz en la Facultad de Ciencias Exactas y del terror que infundía a sus alumnos. Katz había estudiado en Oxford con Roger Penrose, el director de tesis de Hawking, y en su breve regreso a la Argentina dictaba Cosmología como la materia final de la licenciatura en Física. Pronto se había hecho famoso por la rapidez con que llenaba pizarrones, por la fuerza con que partía las tizas mientras escribía y por la dificultad sobrehumana de sus prácticas. Había pedido que su ayudante de cátedra fuera un matemático graduado, y Pablo Marín, que era en esa época amigo mío, había accedido al traspaso. Pablo se divertía contándome en el bar de Ciudad Universitaria

* Publicado con el título "Una cuestión de tiempo" en "Viva", *Clarín*, 2000.

los sarcasmos de Katz y la desesperación de los alumnos frente a las fórmulas. Me contaba, sobre todo, de una chica algo mayor que los demás, que ya había desaprobado dos veces la materia y que lo seguía como una sombra a todas las consultas para preguntarle, con una fijeza obsesionada, uno por uno cada ejercicio.

El cuatrimestre pasó y llegaron las fechas de los finales.

Pablo había fijado una última consulta una hora antes del examen. Ese día, mientras almorzaba conmigo en el bar, le avisaron desde la secretaría que tenía una llamada de teléfono. Bajó demudado: la que había sido su novia histórica, de paso por Buenos Aires, quería volver a verlo. Me pidió que fuera en quince minutos hasta el aula del examen para avisarle a sus alumnos que no daría la clase y salió a grandes trancos hacia la parada de los colectivos. Pedí otro café, dejé pasar el cuarto de hora y fui hasta el aula. Sólo había una chica junto a la tarima, que se balanceaba nerviosamente de pie, abrazando una carpeta negra: la alumna de la que me había hablado Pablo. Cuando me acerqué vi que el brazo que cruzaba la carpeta estaba crispado, con el puño fuertemente cerrado, como si ocultara algo, y que el mentón le temblaba involuntariamente: parecía a punto de castañetear. Tuve que decirle que Pablo no le daría la consulta. Se quedó por un momento abrumada, incapaz de hablar y me miró después implorante, como a una última tabla de salvación. —Pero tal vez vos podrías ayudarme —me dijo—: sos también matemático, ¿no es cierto?—, y abrió atropelladamente la carpeta, antes de que pudiera decirle nada. La práctica tenía un título curioso: *El sumidero de Dios*. Posiblemente otro sarcasmo de Katz, o quizá fuera la convención algo zumbona entre los físicos para referirse a la singularidad en el instante inicial. Debajo vi las ecuaciones más impenetrables sobre las que me tocó fijarme en toda mi carrera. La primera ocupaba tres renglones, y reconocí apenas dos o tres símbolos. Me di cuenta de que en una hora ni siquiera lograría entender la notación. Volví a alzar la vista y ella advirtió antes de que le dijera nada que su última esperanza se había desvanecido. Vi que temblaba y que su puño, que había quedado colgando a un costado, se apretaba convulsivamente. Me quedé por un instante petrificado: desde ese puño, por la juntura de los dedos, se formaba un hilo de sangre, que empezaba a gotear silenciosamente al piso sin que la chica pareciera advertirlo. Extendí la mano para aferrarle la muñeca y antes de que pudiera retirarla le abrí con mi otra mano los dedos. Lo que aquella estudiante de Física escondía y había apretado hasta incrustarse en la palma eran las puntas de metal de un crucifijo.

Índice

Seix Barral

España
Av. Diagonal, 662-664
08034 Barcelona (España)
Tel. (34) 93 492 80 36
Fax (34) 93 496 70 58
Mail: info@planetaint.com
www.planeta.es

Argentina
Av. Independencia, 1668
C1100 ABQ Buenos Aires
(Argentina)
Tel. (5411) 4382 40 43/45
Fax (5411) 4383 37 93
Mail: info@eplaneta.com.ar
www.editorialplaneta.com.ar

Brasil
Rua Ministro Rocha Azevedo, 346 -
8º andar
Bairro Cerqueira César
01410-000 São Paulo, SP (Brasil)
Tel. (5511) 3088 25 88
Fax (5511) 3898 20 39
Mail: info@editoraplaneta.com.br

Chile
Av. 11 de Septiembre, 2353,
piso 16
Torre San Ramón, Providencia
Santiago (Chile)
Tel. Gerencia (562) 431 05 20
Fax (562) 431 05 14
Mail: info@planeta.cl
www.editorialplaneta.cl

Colombia
Calle 73, 7-60, pisos 7 al 11
Santafé de Bogotá, D.C.
(Colombia)
Tel. (571) 607 99 97
Fax (571) 607 99 76
Mail: info@planeta.com.co
www.editorialplaneta.com.co

Ecuador
Whymper, 27-166 y Av. Orellana
Quito (Ecuador)
Tel. (5932) 290 89 99
Fax (5932) 250 72 34
Mail: planeta@access.net.ec
www.editorialplaneta.com.ec

Estados Unidos y Centroamérica
2057 NW 87th Avenue
33172 Miami, Florida (USA)
Tel. (1305) 470 0016
Fax (1305) 470 62 67
Mail: infosales@planetapublishing.com
www.planeta.es

México
Av. Insurgentes Sur, 1898, piso 11
Torre Siglum, Colonia Florida, CP-01030
Delegación Álvaro Obregón
México, D.F. (México)
Tel. (52) 55 53 22 36 10
Fax (52) 55 53 22 36 36
Mail: info@planeta.com.mx
www.editorialplaneta.com.mx
www.planeta.com.mx

Perú
Grupo Editor
Jirón Talara, 223
Jesús María, Lima (Perú)
Tel. (511) 424 56 57
Fax (511) 424 51 49
www.editorialplaneta.com.co

Portugal
Publicações Dom Quixote
Rua Ivone Silva, 6, 2.º
1050-124 Lisboa (Portugal)
Tel. (351) 21 120 90 00
Fax (351) 21 120 90 39
Mail: editorial@dquixote.pt
www.dquixote.pt

Uruguay
Cuareim, 1647
11100 Montevideo (Uruguay)
Tel. (5982) 901 40 26
Fax (5982) 902 25 50
Mail: info@planeta.com.uy
www.editorialplaneta.com.uy

Venezuela
Calle Madrid, entre New York y Trinidad
Quinta Toscanella
Las Mercedes, Caracas (Venezuela)
Tel. (58212) 991 33 38
Fax (58212) 991 37 92
Mail: info@planeta.com.ve
www.editorialplaneta.com.ve

Grupo ⊜ Planeta   Seix Barral es un sello editorial del Grupo Planeta   www.planeta.es